O GRANDE ARCANO
ou o OCULTISMO REVELADO

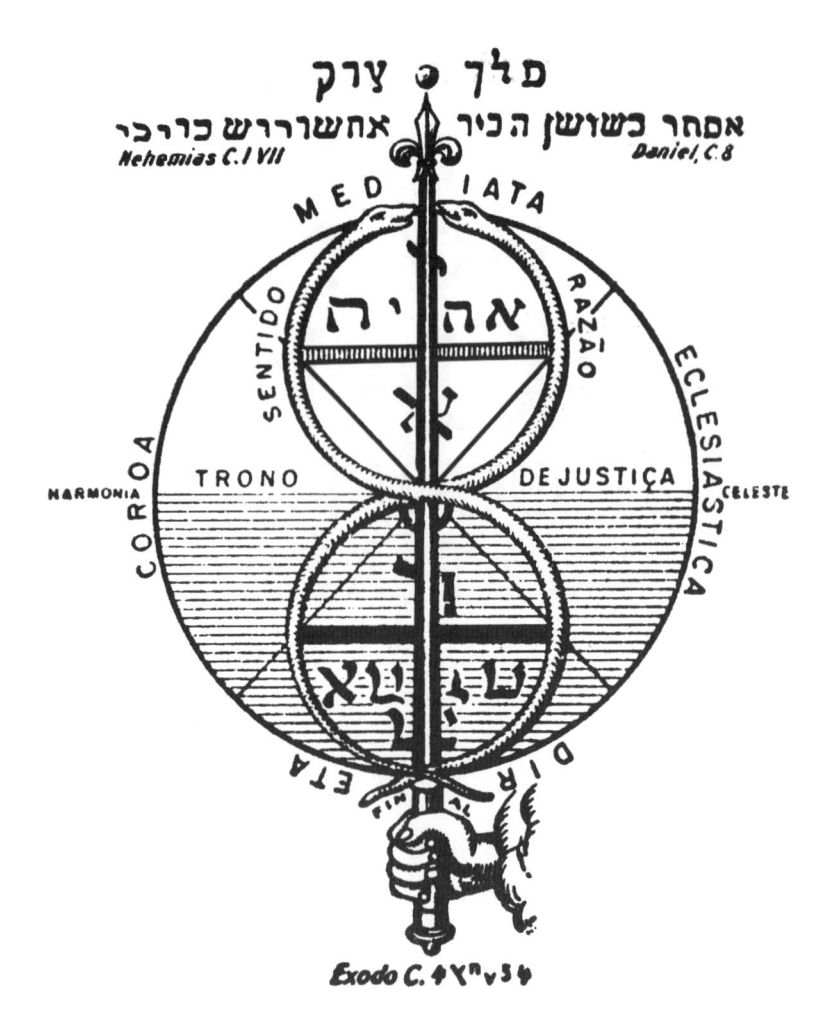

IN HOC SIGNO VINCES

O Selo do Grande Arcano do G∴ A∴ de A Chave dos Grandes Mistérios, também conhecido como o "Pantáculo de Tebas", matriz raiz do alfabeto latino e algarismos arábicos. De cima para baixo e, em hebraico, da direita para a esquerda: "Rei", "Justiça", "Esther", à capital Suze (Daniel, cap. 8), "Essuero Mordecai"(Neemias, I, vers. 1), no centro, e refletido na sombra: "Eu Sou Aquele Que Sou" (Êxodo, III, VERS. 14). Frase final em maiúsculas escrita em latim: "POR ESTE SIGNO VOCÊ VENCERÁ".

ÉLIPHAS LÉVI

O GRANDE ARCANO
OU O OCULTISMO REVELADO

Tradução
Rosabis Camaysar

Editora
Pensamento
SÃO PAULO

Título do original: *Le Grand Arcane, ou, L´Occultisme Dévoilé.*
1ª edição original de 1898 de Chamuel, Éditeur.
Copyright da edição brasileira © 1920, 2021 Editora Pensamento-Cultrix Ltda.
1ª edição 1920.
2ª edição 2021.
1ª reimpressão 2023.

Todos os direitos reservados. Nenhuma parte deste livro pode ser reproduzida ou usada de qualquer forma ou por qualquer meio, eletrônico ou mecânico, inclusive fotocópias, gravações ou sistema de armazenamento em banco de dados, sem permissão por escrito, exceto nos casos de trechos curtos citados em resenhas críticas ou artigos de revistas.

A Editora Pensamento não se responsabiliza por eventuais mudanças ocorridas nos endereços convencionais ou eletrônicos citados neste livro.

Editor: Adilson Silva Ramachandra
Gerente editorial: Roseli de S. Ferraz
Gerente de produção editorial: Indiara Faria Kayo
Editoração eletrônica: Ponto Inicial Design Gráfico
Revisão: Ana Lúcia Gonçalves

Dados Internacionais de Catalogação na Publicação (CIP)
(Câmara Brasileira do Livro, SP, Brasil)

Levi, Eliphas, 1810-1875
    O grande arcano, ou, O ocultismo revelado/Éliphas Lévi; tradução Rosabis Camaysar.
2. ed. - São Paulo: Editora Pensamento Cultrix, 2021.
    Título original: Le grand arcane, ou, L'occultisme devoile
    ISBN 978-85-315-2140-9
    1. Ciências ocultas 2. Ocultismo I. Título.
Título: O ocultismo revelado

21-68401 CDD-133

Índices para catálogo sistemático:
1. Ciências ocultas 133
Maria Alice Ferreira - Bibiotecária - CRB-8/7964

Direitos reservados
EDITORA PENSAMENTO-CULTRIX LTDA.
Rua Dr. Mário Vicente, 368 – 04270-000 – São Paulo – SP
Fone: (11) 2066-9000
http://www.editorapensamento.com.br
E-mail: atendimento@editorapensamento.com.br
Foi feito o depósito legal

SUMÁRIO

PRIMEIRA PARTE
O MISTÉRIO REAL E A ARTE DE GOVERNAR
AS FORÇAS E SUBJULGAR PODERES 15

Capítulo I

O MAGNETISMO – O ímã animal. Sono magnético. Sonambulismo. O *od, ob* e *aur*. As serpentes do caduceu. Python, símbolo do ob. A luz viva e a luz morta. Pyrama e Thisbeu que se matam. O renome de Erostratos. Tibério e Messalina. "Creio porque é absurdo". A loucura da cruz. *Quam sordet tellus dum cœlum aspicio!* A loucura histérica. Tirésias, adivinho que profetizava pela luz morta, ferido de cegueira por Vênus 17

Capítulo II

O MAL – O mal é a desordem. O sofrimento. Proudhon disse: Deus é o mal. Deus tudo nos deve. O Deus mau. A raiz do mal. O dia das almas. Os cegos que não querem deixar-se guiar. A casa de loucos de Edgar Poe. O terrível Ghisleri. A guerra. Quem é responsável pela guerra? Os monstros da natureza. A causa dos flagelos e da peste. A atmosfera dos doentes 23

Capítulo III

A SOLIDARIEDADE NO MAL – Os mistérios do sono, segundo o Rabino Isaac de Loria. A noite, boa ou má conselheira. Os sonhos. A imantação universal. Belezas de convenção Belezas imaginárias. As preces do hipócrita são mais ímpias que as blasfêmias do malvado. Atrações proporcionais aos destinos. O falanstério de Fourier. Classificação dos espíritos. Pierre-Joseph Proudhon e Santo Inácio de Loyola. As fogueiras de Constança e o massacre de João Zisca. Marat e o piedoso Fenelon. O anjo e o demônio................ 31

Capítulo IV

A DUPLA CADEIA – A cadeia circular. O livre-arbítrio primitivo. A infernal Hecate e a Virgem Celeste. O pecado original. Eros e Anteros. A graça. O diabo ou tentador. O rei Satã.................. 37

Capítulo V

AS TREVAS EXTERIORES – A faculdade de visão. O crime de Édipo. As trevas exteriores. A ciência e a fé. Não julgueis para não serdes julgado. A religião universal. Mais católico que o papa e mais protestante que Lutero. A religião cristã. Deus não é um usurário. Visão de Santa Teresa. A escuridão das trevas exteriores. Mefistófeles vencido. Felizes dos que sabem rir 41

Capítulo VI

O GRANDE SEGREDO – Sabedoria, moralidade e virtude. O equilíbrio. Os heróis de Homero. "Saber, Querer, Ousar e Calar". Ulisses vencedor dos deuses, dos elementos e das sereias. Talismãs, raízes e ervas, como auxiliares magnéticos. Os adivinhos. Sofia apaixonada por si mesma. Os espectros de Ricardo III. "Pai, perdoai-lhes porque não sabem o que fazem" 47

Capítulo VII

O PODER QUE CRIA E TRANSFORMA – A vontade. A onipotência de Deus. A carne não tem tristezas nem gozos: é um instrumento passivo. A fábula de Apuleio. Adoradores da cabeça de um asno. A rosa e a cruz. Homero e Trimalcyon. São Vicente de Paula. O poder que cria e transforma. Se quiserdes colher à esquerda, semeai à direita. A plenitude e o vácuo. Rousseau casado com uma criada. Homens de gênio, vossa esposa é a glória! 53

Capítulo VIII

AS EMANAÇÕES ASTRAIS E AS PROJEÇÕES MAGNÉTICAS – Homens mal-equilibrados. A Pitonisa de Delfos. "Aspir" e "respir". Evocações. Loucos e visionários. Os contrários. A resistência serve de apoio. Encantamentos do grande Alberto e de Merlino. As cerimônias. Joana d'Arc canonizada. As extravagâncias da natureza. As curas do zuavo Jacó. Elfos e Fadas. O divino Cagliostro. O ouro, o incenso e a mirra oferecidos ao menino Jesus.................. 59

Capítulo IX

O SACRIFÍCIO MÁGICO – Que é o sacrifício? A magia negra. O sacrifício da cruz. Hóstias consagradas. "O bom Deus mau". Gilles de Laval (PERFEITO). O grimório de Honório. Opinião do padre Ventura sobre Satã e o Cristianismo. Criação de Satã. Adoremos a luz. As aspirações do homem.................. 65

Capítulo X

AS EVOCAÇÕES – A razão e a liberdade. O anjo decaído de Milton. O verdadeiro diabo. O que vem a ser a Evocação? O homem é incompleto. Nero tinha alguma coisa de bom. O sonho de Satã. Morte instantânea. Missa profanada. A sabedoria de Zoroastro e de Salomão. Os fenômenos da eletricidade. O anel de Salomão. A rainha de Sabá.................. 71

Capítulo XI

OS ARCANOS DO ANEL DE SALOMÃO – Procurai no túmulo de Salomão a sua ciência, não o seu anel. Fabricação do anel. Consagração do anel. Jesus Cristo, o homem-Deus. Os ritos mágicos. Anedota da sopa de calhau. É preciso fábulas às crianças.................. 79

Capítulo XII

O SEGREDO TERRÍVEL – Verdades que podemos dizer. Que é um tolo? O urso da fábula de La Fontaine. O progresso dos animais. Maquiavel e a política. Não lanceis pérolas aos porcos. A Franco-Maçonaria. Joanitas e Templários. A doutrina secreta de Jesus. Os bons. Jesus, filho de

Deus. Rabelais, autor da panaceia contra a demência. Outros tolos, outros comentários. A espécie humana é defeituosa. A vaidade e o interesse levam o homem pelo nariz. A responsabilidade. O pacto do iniciado. Apolônio de Tiana, Paracelso, Agripa, São Germano, São Cagliostro................85

SEGUNDA PARTE
O MISTÉRIO SACERDOTAL OU A ARTE
DE FAZER-SE SERVIR PELOS ESPÍRITOS............ 93

Capítulo I

AS FORÇAS ERRANTES – A consciência do infinito. O padre, domador do hipogrifo da imaginação. A alta magia, concorrência ao sacerdócio católico. Gritai contra o monstro! Voltaire e o "Gênio do Cristianismo". *Non possumus*. As forças errantes. A devoção. A fé. A religião e a filosofia. Os cometas. A razão e a fé.................95

Capítulo II

OS PODERES DOS PADRES – O sacerdócio. O papa. O prestígio sacerdotal. A religião, medicina dos espíritos. Um espetáculo alegre transformado em cena trágica. O "Syllabus". O poder moral do padre. "Homem de pouca fé, por que duvidaste?"................ 101

Capítulo III

O ENCADEAMENTO DO DIABO – O prazer. O dever. As nossas ansiedades. O nosso anjo da guarda e o nosso demônio familiar. O segredo dos prodígios. Sonambulismo contagioso. Teoremas do magnetismo. Deus é a ordem, Satã é a desordem. A fé afugenta os fantasmas, a razão os faz desaparecer para sempre..................105

Capítulo IV

O SOBRENATURAL E O DIVINO – Atrações legítimas da natureza. Os íncubos e os súcubos. Santo Antônio e Santa Teresa. Maria Alacoque e Messalina. O amor, vitória da natureza. As aberrações do celibato. Sede de amor. O verdadeiro amor de Deus. O milagre divino e o milagre infernal. Uma pergunta de La Fontaine. O belo e o justo passam despercebidos. Saint Martin, o filósofo desconhecido 111

Capítulo V

OS RITOS SAGRADOS E OS RITOS MALDITOS – Os rito eficazes. O Judaísmo e outros grandes cultos. O culto cristão. Antagonismo religioso. Os símbolos maçônicos. A liberdade de consciência. A maldição. Ritos sagrados e ritos malditos. As imagens milagrosas da Virgem. A hierarquia das luzes. As maldições e os anátemas. Maldita seja a maldição! O reino espiritual do Messias 117

Capítulo VI

DA ADIVINHAÇÃO – Edgar Poe, sonâmbulo da embriaguez. Augusto Dupin. O exame dedutivo fornece, às vezes, conclusões inesperadas na descoberta de crimes. Dois exemplos notáveis. A falsa filosofia. O espírito revolucionário agita as nações. A religião torna-se uma política. Predição do movimento social. Camilo Flamarion. As alegorias bíblicas. O messianismo. Um concílio verdadeiramente ecumênico. Filosofia da sagacidade. Catástrofes produzidas pelo gênio revolucionário. A tradição profética. A adivinhação. Vianney, cura de Ars 125

Capítulo VII

O PONTO EQUILIBRANTE – O poder mágico. O ponto central. O grande arcano. *Qui autem divinabunt divini erunt.* O Mal, o falso, o feio e o injusto são incompatíveis com a verdade. Os ensinamentos da Igreja mal compreendidos. A barca de Pedro abalada pela tempestade. A religião verdadeira. A fé. A moral independente. Jesus Cristo e os padres do seu tempo. A religião independente. Jesus Cristo, modelo perfeito de religião. O ponto equilibrante 137

Capítulo VIII

Os PONTOS EXTREMOS – A força dos ímãs. Os fracos e os mornos. Alexandre e Diógenes. Jesus e as carícias de Madalena. Revoluções políticas. A noiva dos celerados. São Simão Styllita. A jumenta de Balaam. Os imortais dos vícios e das virtudes. Os extremos se tocam. Urbano Grandier. A vida do verdadeiro sábio. Felizes dos olhos que procuram a beleza em toda parte! Felizes dos rostos graciosos cujos lábios estão cheios de sorrisos e de beijos 145

Capítulo IX

O MOVIMENTO PERPÉTUO – Ação e reação. A verdade e a mentira. A existência de Deus. Felizes dos corações puros! O falso e o verdadeiro. O "Syllabus" de Pio IX. O Deus dos cristãos. Os dogmas do Cristianismo. Os egípcios não adoravam animais. A Bíblia da Humanidade. O materialismo da Renascença. O Jansenismo. Equilíbrio, não antagonismo. O sono de Adão. Que é esta Eva ou "Chavah", que Deus tirou da costela de Adão? Os réprobos conforme Swedenborg. A felicidade celeste. O prêmio dos justos. Os maus sonhos da existência. As injustiças dos santos. Os maus sonhos dos inquisidores................................ 152

Capítulo X

O MAGNETISMO DO MAL – O espírito de Deus enche a imensidade. A alma da Terra. O primeiro versículo do do livro de Gênesis, conforme uma nova interpretação. A Antiga Teoria das Egrégoras. As convulsões planetárias. Camões tinha mais gênio que Adamastor. Estrelas irmãs e estrelas rivais. A alma dos astros. As contradições da natureza. Os gênios gigantescos dos árabes. Os Titãs da fábula. Admirável simbolismo católico. O diabo, Proteu da mitologia cristã. O sacrifício de si mesmo. O fluido magnético. O Samael branco e o Samael preto. As cadeias de simpatia. Os governantes dos países 165

Capítulo XI

O AMOR FATAL – Os animais são levados a reproduzir-se pelo cio, porém só o homem é capaz de um sentimento que o leva a escolher sua companheira. Nossa inteligência é feita para a verdade e nosso coração para o amor. Os segredos do amor. Romeu e Julieta. O casamento. A Júlia de Rousseau. Ulisses, vencedor de Calypso e de Circe. Jesus e a adúltera. O amor imortal 179

Capítulo XII

A ONIPOTÊNCIA CRIADORA – As leis da criação. O homem criador. A inteligência dos mundos. A estrela da inteligência. Catolicismo do autor. O papa e a liberdade de consciência. Procurai primeiro o reino de Deus e sua justiça 189

Capítulo XIII

A FASCINAÇÃO – A Igreja condena a magia. Moisés, terrível legislador. Isto é a minha carne, isto é o meu sangue! *Magister dixit*. A natureza, soberana fascinadora. Magnetismo animal e magnetismo moral. Bossuet, Pascal e Fenelon. Exercícios de Santo Inácio. As máquinas humanas. A instrução e o progresso moral. O paraíso e o inferno. *Homines et jumenta salvabis Domini*. A moral atual. Máximas evangélicas e máximas modernas. O papel da fascinação. A magia branca de Roberto Houdin. Para escapar da fascinação 199

Capítulo XIV

A INTELIGÊNCIA SOMBRIA – Os profanos. A Cabala. Jesus e a autoridade sacerdotal. Verdade inflexível. Galileu matou o catolicismo da Idade Média. As doutrinas do autor perante um artigo do "Syllabus". O dogma da Igreja. A sombra é necessária para a manifestação da luz. A luz obscura 219

Capítulo XV

O GRANDE ARCANO – A divindade do homem. Jesus Cristo, o homem-Deus. *Eritis non sicut dii, non sicut Deus, sede eritis Deus!* Os estudos do autor. O Evangelho de Jesus Cristo. Que é a liberdade? A serpente edênica 229

Capítulo XVI

A AGONIA DE SALOMÃO – As crianças. Salomão faz a apologia do amor. A magnificência de Salomão. O templo de Jeová. Lamentações de Salomão. Salomão conhecia o segredo das pedras preciosas e das plantas, porém ignorava o segredo de não envelhecer. Lição da vida de Jesus.

Cegueira de espírito de Salomão. Vitor Hugo encontrou o arcano da juventude 235

Capítulo XVII

O MAGNETISMO DO BEM – A felicidade. Imantação magnética. Parábola de Maomé. A verdade e o belo. Deus é nosso pai e a Natureza é nossa mãe. Façamos o bem porque sabemos que é o bem 241

Apêndice

A DOUTRINA DE ÉLIPHAS LÉVI – Deus, o Homem e o Universo. Constituição de Deus. Constituição do Homem. Constituição do Universo. Criação dos entes pela luz. Os fantasmas fluídicos e seus mistérios. A Religião. Realização da doutrina. Ideias sociais. As ciências ocultas. O amor e a magia 247

INTRODUÇÃO

Esta obra é o testamento do autor; é o mais importante e o último de seus livros sobre a ciência oculta. É dividida em duas partes. A primeira é intitulada "O mistério real ou a arte de governar as forças" e a segunda "O mistério sacerdotal ou a arte de fazer-se servir pelos espíritos".

Este livro não necessita de introdução ou prefácio; obras precedentes do autor cumprem amplamente essas funções.

Nele, está a última palavra do ocultismo; foi, pois, escrito com a maior clareza que nos foi possível empregar.

Este livro pode e deve ser publicado? Ignoramos isso ao escrevê-lo.

Se ainda existem verdadeiros iniciados no mundo, é para eles que escrevemos e é só a eles compete julgar-nos.

ÉLIPHAS LÉVI
Setembro de 1868.

PRIMEIRA PARTE

O MISTÉRIO REAL E A ARTE DE GOVERNAR AS FORÇAS E SUBJULGAR PODERES

Capítulo I

O MAGNETISMO

O magnetismo é uma força análoga à do ímã; está espalhado em toda a natureza.

Seus caracteres são: a atração, a repulsão e a polarização equilibrada.

A ciência observa os fenômenos do ímã astral e do ímã mineral. O ímã animal se manifesta todos os dias por fatos que a ciência verifica com desconfiança, porém já não pode mais negá-los. Entretanto, para admiti-los, espera, com razão, que sua análise seja finalizada e haja uma síntese incontestável.

Sabemos que a imantação produzida pelo magnetismo animal determina um sono extraordinário, durante o qual a alma do magnetizado cai sob o domínio do magnetizador, com esta particularidade: a pessoa adormecida parece deixar inativa sua vida própria para manifestar somente os fenômenos da vida universal. Ela reflete o pensamento dos outros, vê sem auxílio dos olhos, torna-se presente em toda parte sem ter consciência do espaço, percebe as formas mais que as cores, suprime e confunde os períodos do tempo, fala do futuro como se fosse do passado e do passado como se fosse do futuro, explica ao magnetizador seus próprios pensamentos e até as acusações secretas da sua consciência; evoca na sua recordação as pessoas em que pensa e as descreve do modo mais exato, sem que o sonâmbulo ou sonâmbula as tenha visto alguma vez; fala a linguagem da ciência com o sábio e a da imaginação com o poeta, descobre as doenças e adivinha os remédios, dá muitas vezes sábios conselhos, sofre com quem sofre e, às vezes, dá um grito doloroso ao anunciar-vos tormentos que devem surgir.

Esses fatos estranhos, porém incontestáveis, nos levam necessariamente a concluir que existe uma vida comum para todas as almas, ou ao menos uma espécie de refletor comum de todas as imaginações e memórias no qual podemos ver-nos uns aos outros, como acontece para uma multidão que passa diante de um espelho. Tal refletor é a luz ódica do cavalheiro Karl Ludwig Freiherr von Reichenbach, equivalente a nossa luz astral, é o grande agente da vida chamada *Od*, *Ob* e *Aur* pelos hebreus. O magnetismo dirigido pela vontade do operador é Od, o sonambulismo passivo é Ob. As Pitonisas da Antiguidade eram sonâmbulas ébrias de luz astral passiva. Nos livros sagrados, essa luz é chamada espírito de Python, porque, na mitologia grega, a serpente Python é a sua imagem alegórica.

Ela é representada também na sua dupla ação pelas serpentes do caduceu; a serpente da direita é Od, a da esquerda é Ob, e no meio, no cimo da verga hermética, brilha o globo de ouro que representa Aur ou a luz equilibrada. Od representa a vida livremente dirigida; Ob representa a vida fatal. É por isso que o legislador hebreu diz: "Infelizes dos que adivinham por Ob, pois evocam a fatalidade, o que é um atentado contra a providência de Deus e contra a liberdade do homem."

Há certamente uma grande diferença entre a serpente Python, que se arrasta no lodo do dilúvio e que o sol feriu com suas flechas; há, dizemos nós, uma grande diferença entre essa serpente e a que se enrosca no bastão de Esculápio, da mesma forma que a serpente tentadora do Éden difere da de bronze que curva os doentes no deserto. Estas duas serpentes opostas figuram efetivamente as forças contrárias que podemos associar, porém que jamais devem confundir-se. O cetro de Hermes, separando-as as reúne; e é assim que, aos olhos penetrantes da ciência, a harmonia resulta da analogia dos contrários.

Necessidade e Liberdade tais são as duas grandes leis da vida; e essas duas leis fazem só uma, pois são indispensáveis uma à outra.

A necessidade sem liberdade seria tão fatal quanto a liberdade que, privada do seu freio necessário, se tornaria insensata. O direito sem o dever é a loucura. O dever sem o direito é a servidão.

Todo o segredo do magnetismo consiste nisto: governar a fatalidade do *ob* pela inteligência e o poder do *od*, a fim de criar o equilíbrio perfeito de *aur*.

Quando um magnetizador, mal-equilibrado e sujeito a fatalidade por paixões que o dominam, quer impor sua atividade à luz fatal, assemelha-se a um homem com os olhos vendados que, montado em cego ginete, quisesse aguilhoá-lo às esporadas no meio de uma floresta cheia de sinuosidades e precipícios.

Os adivinhos, tiradores de cartas e sonâmbulos são todos alucinados que adivinham por *ob*.

O copo de água de hidromancia, as cartas de Etteilla*, as linhas da mão etc., produzem no vidente uma espécie de hipnotismo. Vê então o consultante nos reflexos dos seus desejos insensatos ou das suas imaginações cúpidas, e, como é, por sua vez, um espírito sem elevação e sem nobreza de vontade adivinha as loucuras e sugere maiores ainda, o que é, de resto, uma condição de êxito para ele.

---

* Pseudônimo de Jean-Baptiste Alliette, ilustre ocultista francês que se tornou um importante nome na criação do primeiro tarô esotérico que se tem notícia. (N. do E.)

Um cartomante que aconselhasse a honestidade e os bons costumes perderia logo sua clientela de concubinas e solteironas histéricas.

As duas luzes magnéticas podiam muito bem chamar-se: uma, a luz viva e a outra, a luz morta; uma, o fluido astral e a outra, o fósforo espectral; uma, o facho do verbo e a outra, a fumaça do sonho.

Para magnetizar sem perigo é preciso ter em si a luz de vida, isto é, deve-se ser um sábio e um justo. O homem escravo das paixões não magnetiza, fascina; porém a irradiação da sua fascinação aumenta ao redor dele o círculo da sua vertigem; multiplica seus encantos e enfraquece cada vez mais sua vontade. Assemelha-se a uma aranha que se cansa e, enfim, fica presa em sua própria teia.

Os homens até agora ainda não conheceram o império supremo da razão; eles a confundem com o raciocínio particular e quase sempre errôneo de cada um. Contudo, o próprio Senhor de la Palisse lhes diria que quem se engana não tem razão, a razão é precisamente o contrário dos nossos erros.

Os indivíduos e as massas que a razão não governa são escravos da fatalidade; é ela que faz a opinião, e a opinião é rainha do mundo.

Os homens querem ser dominados, atordoados, arrastados. As grandes paixões lhes parecem mais belas que as virtudes e aqueles a quem chamam grandes homens são, às vezes, grandes insensatos. O cinismo de Diógenes lhes agrada como o charlatanismo de Empédocles. Nada admiraria tanto como Ajax e Capanea, se Polyeucto não fosse ainda mais furioso. Pyrama e Thisbeu, que se matam, são os modelos dos amantes. O autor de um paradoxo sempre tem certeza de adquirir renome. E, por mais que condenem ao esquecimento, por despeito e inveja, o nome de Erostrato, este nome tem tanta grandeza de demência que supera a sua raiva e se impõe eternamente à sua recordação!

Os loucos são, pois, magnetizadores ou antes fascinadores, e é o que torna contagiosa a loucura. Por falta de saber medir o que é grande, a gente se apaixona pelo que é estranho. As crianças que ainda não podem andar querem que a gente as carregue e leve a passeio. Ninguém ama tanto a turbulência como os impotentes. É a incapacidade do prazer que faz os "Tibérios e as Messalinas". O garoto de Paris no paraíso das ruas arborizadas queria ser Cartouche e ri de coração quando ridicularizam Telémaco.

Nem todos gostam da embriaguez opiácea ou alcoólica, porém quase todos iam querer embriagar o espírito e comprazer-se facilmente em fazer delirar o coração. Quando o Cristianismo impôs-se ao mundo pela fascinação do martírio, um grande escritor daquele tempo formulou o pensamento de todos, exclamando: "Creio porque é absurdo!"

A loucura da Cruz, como o próprio São Paulo a chamava, era então invencivelmente invasora. Queimavam-se os livros dos sábios e São Paulo preludiava em Éfeso os feitos de Omar. Derribavam-se templos que eram maravilhas do mundo e ídolos que eram obras-primas das artes. Tinham o gosto da morte e queriam despojar a existência presente de todos os seus ornamentos para desprender-se da vida.

O desgosto das realidades sempre acompanha o amor dos sonhos: *Quam sordet tellus dum cœlum aspicio!* – diz um célebre místico; literalmente: Quão suja se torna a Terra quando olho para o céu! Pois então, teu olhar ao perder-se no espaço, acha suja a Terra, tua nutriz? Que é, pois, a Terra senão um astro do céu? Será que ela é suja, porque te carrega? Porém, que te levem para o sol e teus desgostos logo sujarão o sol! Seria o céu mais limpo se fosse vazio? E não é ele admirável de contemplar-se porque durante a noite brilha com uma multidão inumerável de terras e de sóis? Porventura, a Terra esplêndida, a Terra de imensos oceanos, a Terra cheia de árvores e de flores torna-se uma imundície para ti, porque quererias lançar-te no vácuo? Acredita-me, não procures mudar-te por isso: o vácuo está no teu espírito e no teu coração!

É o amor dos sonhos que mistura tantas dores aos sonhos do amor. O amor tal como no-lo dá a natureza é uma deliciosa realidade; porém o nosso orgulho doentio quereria alguma coisa melhor que a natureza. O pensamento de Carlota, na cabeça de Werther, se transforma fatalmente como devia suceder e toma a forma brutal de uma bala de revólver. O amor absurdo tem como desfecho o suicídio.

O amor verdadeiro, o amor natural, é o milagre do magnetismo. É o entrelaçamento das duas serpentes do caduceu; parece produzir-se fatalmente, porém é produzido pela razão suprema que lhe faz seguir as leis da natureza. A fábula refere que Tirésias, tendo separado duas serpentes que se uniam, incorreu na cólera de Vênus e tornou-se andrógino, o que anulou nele o poder sexual; depois, a deusa irritada o feriu ainda, tornando-o cego porque atribuía à mulher o que convém principalmente ao homem. Tirésias era um indivíduo que profetizava pela luz morta. Por isso, suas predições anunciavam e pareciam sempre determinar doenças. Essa alegoria contém e resume toda a filosofia do magnetismo que acabamos de revelar.

Capítulo II

O MAL

O mal, no que tem de realidade, é a desordem. Ora, em presença da ordem eterna, a desordem é essencialmente transitória. Em presença da ordem absoluta, que é a vontade de Deus, a desordem é apenas relativa. A afirmação absoluta da desordem e do mal é, pois, essencialmente a mentira.

A afirmação absoluta do mal é a negação de Deus, pois que Deus é a razão suprema e absoluta do bem.

O mal, na ordem filosófica, é a negação da razão. Na ordem social, é a negação do dever. Na ordem física, é a resistência às leis invioláveis da natureza.

O sofrimento não é um mal, é a consequência e quase sempre o remédio do mal.

Tudo que é naturalmente inevitável não pode ser um mal. O inverno, a noite e a morte não são males. São transições naturais de um dia para outro, de um outono para uma primavera, de uma vida para outra.

Proudhon disse: Deus é o mal; é como se tivesse dito: Deus é o diabo, pois o diabo é tomado geralmente como gênio do mal. Voltemos à proposição e ela nos dará esta fórmula paradoxal: O diabo é Deus ou em outros termos: O mal é Deus.

Porém, com certeza, ao falar assim, o rei dos lógicos que citamos não queria, sob o nome de Deus, designar a personificação hipotética do bem. Pensava no deus absurdo que os homens criam e, explicando seu pensamento, diremos que tinha razão, pois o diabo é a caricatura de Deus, e o que chamamos o mal é o bem maldefinido e malcompreendido.

Não seria possível amar-se o mal pelo mal, a desordem pela desordem. A infração das leis nos agrada porque parece colocar-nos acima das leis. Os homens não são feitos para a lei, mas a lei é feita para os homens – dizia Jesus, palavra audaciosa que os padres daqueles tempos certamente consideraram subversiva e ímpia, palavra de que o orgulho humano pode abusar prodigiosamente. Dizem que Deus só tem direitos e não deveres, porque é o mais forte e é isso que é uma palavra ímpia. Devemos tudo a Deus, ousam acrescentar, e Deus nada nos deve. É o contrário que é verdade. Deus, que é infinitamente maior do que nós, contrai, ao pôr-nos no mundo, uma dívida infinita. Foi ele que fez o abismo da fraqueza humana, é ele que deve enchê-lo.

A covardia absurda da tirania no Mundo Antigo. nos legou o fantasma de um deus absurdo e covarde, esse deus que faz milagre eterno para forçar o ente finito a ser infinito nos sofrimentos.

Suponhamos um momento que um de nós pudesse ter criado um efêmero e que lhe dissesse, sem que ele o pudesse ouvir: Criatura minha, adora-me! O pobre animalejo deu alguns voos sem pensar em coisa alguma, morreu no fim do dia e um necromante diz ao homem que, deitando-lhe uma gota do seu sangue, poderá ressuscitar o efêmero.

O homem faz uma picadura em si – eu faria o mesmo em seu lugar – eis que o efêmero ressuscita. Que fará o homem? – O que fará ele, vou dizer-vos, exclama um fanático crente. Como o efêmero, na sua primeira vida, não teve o espírito ou a tolice de adorá-lo, acenderá uma fogueira espantosa e nela lançará o efêmero, sentindo somente não poder conservar-lhe milagrosamente a vida no meio das chamas, a fim de queimá-lo eternamente! – Ora, pois, dirão todos, não existe louco furioso que seja tão covarde, tão mau como este! – Eu vos peço perdão, cristãos vulgares, o homem em questão não podia existir, concordo; porém existe, na vossa imaginação somente, digamo-lo já, alguém mais cruel e mais convarde. É o vosso Deus, tal como o explicais, e é dele que Proudhon teve mil vezes razão de dizer: Deus é o mal.

Neste sentido, o mal seria a afirmação mentirosa de um deus mau e é esse deus que seria o diabo ou o cúmplice. Uma religião que trouxesse como bálsamo para as chagas da humanidade um dogma semelhante as envenenaria em vez de curá-las. Resultaria daí o embrutecimento dos espíritos e a depravação das consciências; e a propaganda feita em nome de tal deus poderia chamar-se o magnetismo do mal. O resultado da mentira é a injustiça. Da injustiça resulta a iniquidade que produz a anarquia nos estados e, nos indivíduos, o desregramento e a morte.

Uma mentira não poderia existir se não evocasse na luz morta uma espécie de verdade espectral, e todos os mentirosos da vida são os primeiros a enganarem-se, tomando a noite pelo dia. O anarquista se julga livre, o ladrão se crê hábil, o libertino crê que se diverte, o déspota pensa que oprimir é reinar. Que seria necessário para destruir o mal na Terra? Uma coisa muito simples na aparência: desiludir os tolos e os maus. Aqui, porém, toda vontade se abate e todo poder falha; os maus e os tolos não querem ser desiludidos. Chegamos a esta perversidade secreta que parece ser a raiz do mal: o gosto da desordem e o apego ao erro. Pretendemos, por nossa parte, que a perversidade não existe, ao menos como livremente consentida e desejada. Ela não é mais que o envenenamento da vontade pela força deletéria do erro.

O ar que respiramos se compõe, como é sabido, do hidrogênio, oxigênio e azoto. O oxigênio e o hidrogênio correspondem à luz viva e o azoto à luz morta. Um homem mergulhado no azoto não poderia respirar nem viver, assim como um homem asfixiado pela luz espectral não pode mais fazer ato de vontade livre. Não é na atmosfera que se realiza o grande fenômeno da luz, é nos olhos organizados para vê-la. Um dia, um filósofo da escola positivista, o senhor Littré, se não me engano, dizia que a imensidade é apenas uma noite infinita pontilhada aqui e acolá por algumas estrelas.

– Isso é verdade, respondeu-lhe alguém, para os nossos olhos que não estão organizados em relação à percepção de outra claridade a não ser a luz do sol. Porém, não nos aparece em sonho a própria ideia desta luz enquanto é noite na Terra e os olhos estão fechados? Qual é o dia das almas? Como vemos pelo pensamento? Existiria a noite dos nossos olhos organizados de outra forma? E se não existissem os nossos olhos, teríamos nós consciência da noite? Para os cegos não existem estrelas, nem sol; e, se pusermos uma venda nos olhos, nós nos tornaremos cegos voluntários. A perversidade dos sentidos, como a das faculdades da alma, resulta de um acidente ou de um primeiro atentado contra as leis da natureza; ela se torna então necessária e como que fatal. Que fazer para os cegos? – Tomá-los pela mão e guiá-los. – Porém, se não quiserem deixar-se guiar? – É preciso pôr parapeitos. – Porém, se eles os derribam? – Então não são somente cegos, são alienados perigosos, e é preciso deixá-los perecer se não se puder prendê-los.

Edgar Allan Poe relata a hilariante história de uma casa de loucos em que os doentes tinham conseguido apoderar-se dos enfermeiros e guardas, prendendo-os nos seus próprios cubículos, depois de tê-los disfarçado em animais selvagens. Ei-los triunfantes nos aposentos do seu médico; bebem o vinho do estabelecimento e se felicitam reciprocamente por terem feito excelentes tratamentos. Enquanto estavam na mesa, os prisioneiros rompem suas cadeias e vêm surpreendê-los a fortes bastonadas. Tornam-se furiosos contra os pobres loucos e os justificam, em parte, por maus-tratos insensatos.

Eis aí a história das revoluções modernas. Os loucos triunfando pelo seu grande número, que constitui o que chamamos a maioria, prendem os sábios e os disfarçam em animais selvagens. Dentro em pouco, as prisões se gastam e se rompem, e os sábios de ontem, feitos loucos pelo sofrimento, fogem, gritando e espalhando o terror. Queriam impor-lhes um falso deus e vociferavam que não há Deus. Então, os indiferentes, tornando-se bravos à custa de medo, se coligam para reprimir os loucos furiosos e fundam o reino dos imbecis. Já vimos isso.

Até que ponto são os homens responsáveis por estas oscilações e angústias que produzem tantos crimes, que pensador ousaria dizê-lo? Detesta-se Marat e canoniza-se Pio V.

É verdade que o terrível Ghisleri não guilhotinava seus adversários; ele os queimava. Pio V era um homem austero e católico convicto. Marat levava o desinteresse até à miséria. Ambos eram homens de bem, mas eram loucos homicidas, sem serem precisamente furiosos.

Ora, quando uma loucura criminosa encontra a cumplicidade de um povo, torna-se quase uma terrível razão e, quando a multidão – não desiludida, mas enganada de um modo contrário – renega e abandona seu herói, o vencido se torna ao mesmo tempo um bode emissário e um mártir. A morte de Robespierre é tão bela como a de Luiz XVI.

Admiro sinceramente este terrível inquisidor que, massacrado pelos Albigenses, escreveu no chão, com seu sangue, antes de expirar: *Credo in unum Deum!*

A guerra é um mal? Sim, sem dúvida, pois é horrível. Porém, será um mal absoluto? – A guerra é o trabalho gerador das nacionalidades e civilizações. Quem é responsável pela guerra? Os homens? – Não, pois são as suas vítimas. Quem, pois? – Ousaríamos dizer que é Deus? Perguntai ao conde Joseph de Maistre. Ele vos dirá porque os sacerdócios sempre consagraram a espada e como há alguma coisa de sagrado no ofício sangrento do algoz. O mal é a sombra, é a repulsão do bem. Vamos até o fim e ousemos dizer que é o bem negativo. O mal é a resistência que fortifica o esforço do bem; e é por isso que Jesus Cristo não receava dizer: – É preciso que haja escândalos!

Há monstros na natureza como há erros de impressão num belo livro. Que prova isso? Que a natureza, como a imprensa, são instrumentos cegos que a inteligência dirige; porém, responder-me-eis vós, um bom revisor corrige as provas. Sim, certamente, e na natureza é para isso que serve o progresso. Deus, se me permitirem esta comparação, é o diretor da imprensa e o homem é o revisor de Deus.

Os padres sempre clamaram que os flagelos são causados pelos pecados dos homens, e isso é verdade, pois que a ciência é dada aos homens para prevenirem os flagelos. Se, como pretenderam, a cólera vem da putrefação dos cadáveres amontoados na embocadura do Ganges, se a fome vem dos monopólios, se a peste é causada pela imundície, se a guerra é provocada tão a miúdo pelo orgulho estúpido dos reis e a turbulência dos povos, não é verdadeiramente a malvadez, ou antes, a tolice dos homens que é a causa dos flagelos? Dizem que as ideias estão no ar, e, em verdade, pode-se dizer que os vícios também aí estão. Toda corrupção produz uma putrefação e toda putrefação tem seu mau cheiro característico. A atmosfera que rodeia os doentes é mórbida e a peste moral tem também sua atmosfera muito mais contagiosa. Um coração honesto se acha comodamente na sociedade das pessoas de bem. Torna-se oprimido, sofre e fica sufocado no meio dos entes viciosos.

Capítulo III

A SOLIDARIEDADE NO MAL

Em seu livro do movimento perpétuo das almas, o Grande Rabino Isaac de Loria diz que é preciso empregar com grande vigilância a hora que precede o sono. De fato, durante o sono, a alma perde por algum tempo sua vida individual para mergulhar-se na luz universal que, como dissemos, se manifesta por duas correntes contrárias. O ente que adormece abandona-se aos abraços da serpente de Esculápio, da serpente vital e regeneradora ou se deixa ligar pelos nós envenenados da horrível Python. O sono é um banho na luz da vida ou no fósforo da morte. Aquele que adormece com pensamentos de justiça se banha nos méritos dos justos, porém aquele que se entrega ao sono com pensamentos de ódio ou mentira se banha no mar morto em que aflui a infecção dos maus.

A noite é como o inverno que incuba e prepara os germes. Se semearmos joio, não colheremos fermento. Aquele que adormece na impiedade não despertará na bênção divina. Dizem que a noite é conselheira. Sim, sem dúvida. Bom conselho traz ao justo, funesta impulsão ao malvado. Tais são as doutrinas do Rabi Isaac de Loria.

Não sabemos até que ponto devemos admitir esta influência recíproca dos entes mergulhados do sono e dirigida de tal forma, por atrações involuntárias, que os bons melhoram os bons e os maus deterioram os que lhes são semelhantes. Seria mais consolador pensar que a brandura dos justos irradia sobre os maus para acalmá-los e que a perturbação dos maus pensamentos agitam o sono e o tornam, por conseguinte, doentio, que uma boa consciência dispõe maravilhosamente o sangue a refrescar-se e a descansar no sono.

Todavia, é muito provável que a irradiação magnética determinada durante o dia pelos hábitos e a vontade não cesse durante a noite. O que no-lo prova são os sonhos, nos quais parece, muitas vezes, que agimos conforme os nossos desejos mais secretos. Só conquistou a virtude da castidade, diz Santo Agostinho, quem impôs a modéstia até aos seus sonhos.

Todos os astros são imantados e todos os ímãs celestes agem e reagem uns sobre os outros nos sistemas planetários, nos grupos dos universos e em toda a imensidade! O mesmo acontece na Terra com os entes vivos.

A natureza e a força dos ímãs é determinada pela influência recíproca das formas sobre a força e da força sobre as formas. Isso tem necessidade de ser seriamente examinado e meditado.

A beleza, que é a harmonia das formas, é sempre acompanhada de grande força de atração; porém existem belezas discutíveis e discutidas.

Há belezas de convenção concordes com certos gostos e com certas paixões. A corte de Luiz XV teria achado que a Vênus de Milo tinha uma estatura elevada e grandes pés. No Oriente, as favoritas do sultão são obesas e, no reino de Sião, compram-se as mulheres a peso.

Os homens não estão menos dispostos a fazer loucura pela beleza verdadeira ou imaginária que os subjuga. Existem, pois, formas que nos embriagam e exercem sobre a nossa razão o domínio das forças fatais. Quando os nossos gostos são depravados, nós nos apaixonamos por certas belezas imaginárias que são realmente fealdades. Os romanos da decadência gostavam de fronte baixa e olhos de sapo de Messalina. Cada qual forma aqui um paraíso à sua maneira. Porém, aqui começa a justiça. O paraíso dos entes depravados é sempre e necessariamente um inferno.

São as disposições da vontade que fazem o valor dos atos. Pois é a vontade que determina o fim a que nos propomos, e é sempre o fim procurado e alcançado que faz a natureza das obras. É conforme as nossas obras que Deus nos julgará, no dizer do Evangelho, e não conforme os nossos atos. Os atos preparam, começam, continuam e concluem as obras. São bons quando a obra é boa. Se for o contrário, são maus. Não queremos dizer que o fim justifica os meios, mas que um fim honesto necessita meios honestos e dá mérito aos mais indiferentes da sua natureza.

O que aprovais, vós fazeis ou fazeis os outros fazerem, animando-os a fazê-los. Se o vosso princípio é falso, se o vosso fim é iníquo, todos aqueles que pensam como vós, agem como agiríeis em seu lugar; e, quando triunfam, pensais que fizeram bem. Se as vossas ações parecem ser de um homem de bem, ao passo que o vosso fim é o de um celerado, as vossas ações tornam-se más. As preces do hipócrita são mais ímpias que as blasfêmias do malvado. Em duas palavras: tudo o que fazemos para a injustiça é injusto; tudo o que fazemos pela justiça é justo e bom.

Dissemos que os entes humanos são ímãs que agem uns sobre os outros. Essa imantação, natural a princípio, determinada depois no seu modo pelos hábitos da vontade, agrupa os entes humanos por falanges e séries, talvez de forma diferente da que supunha Fourier. É, pois, exato dizer com ele que as atrações são proporcionais aos destinos, porém enganava-se em não distinguir as atrações fatais das atrações fictícias. Acreditava também que os maus são incompreendidos pela sociedade, ao passo que são eles, pelo contrário, que não compreendem a sociedade e que não querem compreendê-la. Que teria feito ele no seu falanstério de pessoas, cuja atração, proporcional, na opinião dele, ao destino delas, fosse a de perturbar e demolir o falanstério?

Em nosso livro A *Ciência dos Espíritos*, demos a classificação dos bons e maus espíritos, conforme as tradições cabalísticas. Alguns leitores superficiais talvez dirão: Por que estes nomes em vez de outros? Que espírito descido do céu ou que alma subida do abismo teria revelado assim os segredos hierárquicos do outro mundo? Tudo isto é apenas alta fantasia, e, dizendo isso, estes leitores se enganam. Essa classificação não é arbitrária e, se supomos a existência destes ou daqueles espíritos no outro mundo, é que existem, com toda a certeza, neste. A anarquia, o preconceito, o obscurantismo, o dolo, a iniquidade, o ódio, são opostos à sabedoria, à autoridade, à inteligência, à honra, à bondade e à justiça. Os nomes hebraicos de Kether, Chocmah, Binah; os de Thamiel, Chaigidel, Sathaniel etc., que se opõem aos de Hajoth, Haccadosch, Ophanim e Aralim, não significam outra coisa.

Assim acontece com todas as grandes palavras e com todos os termos obscuros dos dogmas antigos e modernos; em última análise, sempre encontramos neles os princípios da eterna e incorruptível razão. É evidente, é certo que as multidões não estão maduras para o reino da razão e que, por sua vez, os homens mais loucos ou mais velhacos as desviam por meio de crenças cegas. E, loucura por loucura, encontro mais socialismo verdadeiro na obra de Santo Inácio de Loyola que na de Proudhon.

Proudhon afirma que o ateísmo é uma crença, a pior de todas, é verdade, e é por isso que fê-la sua. Afirma que Deus é o mal, que a ordem social é a anarquia, que a propriedade é o roubo! Que sociedade é possível com tais princípios? A Companhia de Jesus é estabelecida sobre os princípios contrários ou, talvez, sobre os erros contrários, e desde há vários séculos ela subsiste e ainda é bastante forte para fazer frente, por muito tempo, aos partidários da anarquia. Não é equivalente, é verdade, mas ainda sabe lançar na balança pesos maiores que os do nosso amigo Proudhon.

Os homens são mais solidários no mal do que o supõem. São os Proudhon que fazem os Veuillot. Os acendedores de fogueiras de Constança tiveram de responder diante de Deus pelos massacres de João Zisca. Os protestantes são responsáveis pelos massacres da noite de São Bartolomeu, pois tinham degolado católicos. Foi, talvez, em realidade, Marat que matou Robespierre, como foi Carlota Corday que fez executar os Girondinos seus amigos. Madame Dubarry, arrastada ao cadafalso como uma cabeça de animal berrador e teimoso, não julgava, sem dúvida, que tinha de expiar o suplício de Luiz XVI. Pois, às vezes, os nossos maiores crimes são os que nós não compreendemos. Quando Marat dizia que é um dever da humanidade derramar um pouco de sangue para impedir um derramamento maior, tirava esta máxima – adivinhai de quem? – do brando e piedoso Fenelon.

Ultimamente publicaram cartas inéditas de Madame Elisabeth, e, numa dessas cartas, a angélica princesa declara que tudo estava perdido se o rei não tivesse a coragem de mandar cortar três cabeças. Quais? Ela não o diz; talvez as de Felipe de Orleans, Lafayette e Mirabeau! – um príncipe da sua família, um homem de bem e um grande homem. Aliás, pouco importa quem: – a amável princesa queria três cabeças. Mais tarde, Marat pedia trezentas mil; entre o anjo e o demônio, só havia uma diferença de alguns zeros.

Capítulo IV

A DUPLA CADEIA

O movimento das serpentes ao redor do caduceu indica a formação de uma cadeia.

Essa cadeia existe sob duas formas: a forma reta e a forma circular. Partindo de um mesmo centro, ela corta inúmeras circunferências por inúmeros raios. A cadeia reta é a cadeia de transmissão. A cadeia circular é a cadeia de participação, de difusão, de comunhão, de religião. Assim se forma esta roda composta de várias rodas que giram umas nas outras, que vemos flamejar na visão de Ezequiel. A cadeia de transmissão estabelece a solidariedade entre as gerações sucessivas.

O ponto central é branco de um lado e preto do outro.

Ao lado preto se prende a serpente preta; ao lado branco se liga a serpente branca. O ponto central representa o livre-arbítrio primitivo e, no lado preto, começa o pecado original.

No lado preto, começa a corrente fatal; ao lado branco se prende o movimento livre. O ponto central pode ser representado alegoricamente pela lua e as duas forças por duas mulheres, uma branca e a outra preta.

A mulher preta é a Eva decaída, é a mulher passiva, é a infernal Hécate, que traz o crescente e a lua na fronte.

A mulher branca é Maia ou Maria, que tem, ao mesmo tempo, debaixo dos pés o crescente lunar e a cabeça da serpente preta.

Não podemos explicar mais claramente, pois tocamos no berço de todos os dogmas. Eles se tornam crenças aos nossos olhos e tememos feri-los.

O dogma do pecado original, sob qualquer forma que o interpretemos, supõe a preexistência das nossas almas, se não na sua vida especial, ao menos na vida universal.

Ora, se alguém pode pecar, sem o saber, na vida universal, deve ser salvo da mesma maneira; isto, porém, é um grande arcano.

A cadeia reta, o raio da roda e a cadeia de transmissão tornam as gerações solidárias umas com as outras e fazem com que os pais sejam punidos nos filhos a fim de que, pelos sofrimentos dos filhos, os pais possam ser salvos.

É por isso que, conforme a lenda dogmática, Cristo desceu aos infernos, donde, tendo arrancado as alavancas de ferro e as portas de bronze, subiu ao céu, levando preso consigo o cativeiro.

E a vida universal exclamava: Hosana! Pois tinha quebrado o aguilhão da morte

Que quer dizer tudo isso? Ousaria alguém explicá-lo? Poderia alguém adivinhá-lo ou compreendê-lo?

Os antigos hierofantes gregos representavam também as duas forças figuradas pelas duas serpentes sob a forma de duas crianças que lutavam uma contra a outra, tomando um globo com os pés e outro com os joelhos.

Essas duas crianças eram Eros e Anteros, Cupido e Hermes, o amor louco e o amor sábio. E a sua luta eterna fazia o equilíbrio do mundo.

Se não admitirmos que existimos pessoalmente antes do nosso nascimento na Terra, precisamos entender como pecado original uma depravação voluntária do magnetismo humano nos nossos primeiros pais, que teria destruído o equilíbrio da cadeia, dando um funesto predomínio à serpente preta, isto é, à corrente astral da vida morta, e sofremos as suas consequências, como as crianças que nascem raquíticas por causa dos vícios dos seus pais, trazem o castigo das faltas que não cometeram.

Os sofrimentos extremos de Jesus e dos mártires bem como as penitências excessivas dos santos teriam tido como fim fazer contrapeso a essa falta de equilíbrio, aliás tão irreparável que teve de arrastar finalmente à conflagração do mundo. A graça seria a serpente branca sob as formas da pomba e do cordeiro, a corrente astral da vida carregada dos méritos do redentor ou dos santos.

O diabo ou tentador seria a corrente astral da morte, a serpente preta manchada com todos os crimes dos homens, escamada pelos seus maus pensamentos, cheia de venenos resultantes dos seus maus desejos, numa palavra, **o magnetismo do mal.**

Ora, entre o bem e o mal, o conflito é eterno. São sempre irreconciliáveis. O mal é, portanto, condenado para sempre; é para sempre condenado aos tormentos que acompanham a desordem, e, todavia, desde a nossa infância, não cessa de solicitar-nos e atrair-nos para si. Tudo o que a poesia dogmática afirma do rei Satã explica-se perfeitamente por este espantoso magnetismo, tanto mais terrível quanto fatal é, porém tanto menos temível para a virtude quanto é certo que não poderia alcançá-la e que esta, com o auxílio da graça, pode resistir-lhe.

Capítulo V

AS TREVAS EXTERIORES

Dissemos que o fenômeno da luz física se opera e se realiza unicamente nos olhos que a veem, isto é, que a visibilidade não existiria para nós sem a faculdade da visão.

O mesmo acontece com a luz intelectual; ela só existe para as inteligências que são capazes de vê-la. É a luz interior fora da qual nada mais existe a não ser as trevas exteriores, onde, conforme a palavra do Cristo, há e haverá sempre prantos e ranger de dentes.

Os inimigos da verdade se assemelham a crianças teimosas que derrubassem e apagassem todas as luzes para melhor gritar e chorar nas trevas.

A verdade é de tal forma inseparável do bem que toda má ação livremente consentida e realizada sem que a consciência proteste apaga a luz da nossa alma e nos lança nas trevas exteriores.

É isto o que constitui a essência do pecado mortal. O pecador é figurado na fábula antiga por Édipo que, tendo matado seu pai e ultrajado sua mãe, acabou por furar seus próprios olhos.

O pai da inteligência é o saber e sua mãe é a crença.

Havia duas árvores no Éden: a árvore da ciência e a árvore da vida.

É o saber que deve e pode fecundar a fé; sem ele, ela se gasta em abortos monstruosos e só produz fantasmas.

É a fé que deve ser a recompensa do saber e o fim de todos os seus esforços; sem ela, ele acaba por duvidar de si mesmo e cai num desânimo profundo, que logo se muda em desespero.

Assim, de um lado, os crentes que desprezam a ciência e desconhecem a natureza e, do outro, os sábios que ultrajam, repelem e querem aniquilar a fé são igualmente inimigos da luz e se precipitam, cada qual mais depressa, nas trevas exteriores em que Proudhon e Veuillot fazem ouvir sua voz mais triste que o pranto e passam rangendo os dentes.

A verdadeira fé não poderia estar em contradição com a verdadeira ciência. Por isso, toda explicação do dogma cuja falsidade a ciência demonstrasse devia ser reprovada pela fé.

Não estamos mais no tempo em que se dizia: "Creio porque é absurdo". Devemos dizer agora: "Creio porque seria absurdo não crer": *Credo quia absurdum non credere*.

A ciência e a fé não são mais duas máquinas de guerra prontas a entrechocar-se, mas são as duas colunas destinadas a sustentar a frente do templo da paz. É preciso limpar o ouro do santuário, ordinariamente tão desluzido pela imundície sacerdotal.

O Cristo disse: "As palavras do dogma são espírito e vida e para ele a matéria nada vale." Disse também: "Não julgueis para não serdes julgados, pois o juízo que fizerdes vos será aplicado e sereis medido com a medida que empregardes." Que esplêndido elogio da sabedoria da dúvida! E que proclamação da liberdade de consciência! De fato, uma coisa é evidente para quem gosta de ouvir o bom senso: é que, se existisse uma lei rigorosa, aplicável a todos e sem cuja observação fosse impossível ser salvo, era preciso que essa lei fosse promulgada de modo que ninguém pudesse duvidar da sua promulgação. Em semelhante matéria, uma dúvida possível é uma negação formal e, se um único homem puder ignorar a existência de uma lei, é porque esta lei não é divina.

Não há duas maneiras de ser homem de bem. Seria a religião menos importante que a probidade? Não, sem dúvida, e é por isso que jamais houve mais que uma religião no mundo. As dissidências são apenas aparências. Porém, o que sempre houve de irreligioso e horrível é o fanatismo dos ignorantes, que se danam uns aos outros.

A religião verdadeira é a religião universal e é por isso que somente a que se chama católica traz o nome que indica a verdade. Essa religião, aliás, possui e conserva a ortodoxia do dogma, a hierarquia dos poderes, a eficácia do culto e a magia verdadeira das cerimônias. É, pois a religião típica e normal, a religião-mãe, à qual pertencem de direito as tradições de Moisés e os antigos oráculos de Hermes. Sustentando isso, apesar do papa, se necessário for, seremos talvez mais católicos que o papa e mais protestantes que Lutero.

A verdadeira religião é, principalmente, a luz interna e as formas religiosas se multiplicam a miúdo e se esclarecem pelo fósforo espectral nas trevas exteriores; porém, é preciso respeitar a própria forma nas almas que não compreendem o espírito. A ciência não pode e não deve empregar represálias contra a ignorância.

O fanatismo não sabe porque a fé tem razão, e a razão, ao mesmo tempo que reconhece que a religião é necessária, sabe perfeitamente em que e por que a superstição se engana.

Toda a religião cristã e católica é baseada no dogma da graça, isto é, da gratuidade. "Recebestes de graça, dai de graça", diz São Paulo. A religião é essencialmente uma instituição de beneficência. A Igreja é uma casa de auxílio para os deserdados da filosofia. Pode-se dispensá-la, porém não convém atacá-la. Os pobres que se dispensam de recorrer à assistência pública não têm, por isso, direito de a difamar. O homem que vive honestamente sem religião priva-se a si mesmo de um grande auxílio, porém não faz agravo a Deus. Os dons gratuitos não se substituem por castigos quando alguém os recusa, e Deus não é um usurário que faça os homens pagarem juros do que não emprestaram. Os homens têm necessidade da religião, porém a religião não tem necessidade dos homens. Diz São Paulo: "Aqueles que não reconhecem a lei serão julgados fora da lei". Ora, não fala aqui da lei natural, mas sim da lei religiosa, ou, para falar com mais exatidão, das prescrições sacerdotais.

Fora dessas verdades tão suaves e tão puras, só há as trevas exteriores onde choram aqueles que a religião mal compreendida não poderia consolar e onde os sectários, que tomam o ódio pelo amor, rangem os dentes uns contra os outros.

Santa Teresa teve, um dia, uma visão formidável. Parecia-lhe estar no inferno e achar-se fechada entre duas paredes viventes que sempre se apertavam, sem nunca poderem esmagá-la. Tais paredes eram feitas de paredes palpáveis e nos fizeram pensar nesta palavra ameaçadora do Cristo: "As trevas exteriores". Imaginemos uma alma que, por ódio da luz, se tornou cega como Édipo; resistiu a todas as atrações e, em toda parte, a vida a repele assim como a luz. Ei-la lançada fora da atração dos mundos e da clareza dos sóis. Está só na imensidão escura para sempre real só para ela e para os cegos voluntários que a ela se assemelham. Está móvel na sombra e sofre um esmagamento eterno na noite. Parece que tudo está aniquilado, exceto seu sofrimento capaz de encher o infinito. Ó dor! dor! ter podido compreender e ter-se obstinado no idiotismo de uma fé insensata! Ter podido amar e ter atrofiado o coração! Oh! uma hora somente, ao menos um minuto, um minuto apenas das alegrias mais imperfeitas e dos mais fugitivos amores! Um pouco de ar! Um pouco de sol! ou ao menos um luar e um tablado para dançar! Uma gota de vida ou menos que uma gota, uma lágrima! E a eternidade implacável lhe responde: "Como falas tu de lágrimas, se nem mesmo podes chorar? As lágrimas são o orvalho da vida e a destilação da seiva de amor; tu te exilaste no egoísmo e te fechaste na morte!"

Ah! quisestes ser mais santo que Deus! Ah! cuspistes no rosto da senhora vossa mãe, a casta e divina natureza! Ah! amaldiçoastes a ciência, a inteligência e o progresso! Ah! acreditastes que para viver eternamente era preciso assemelhar-se a um cadáver e dissecar-se como uma múmia!

Eis-vos tais como vos fizestes, gozai em paz da eternidade que escolhestes! Porém, não, pobres gentes, aqueles a quem chamáveis pecadores e malditos, vão salvar-vos. Aumentaremos a luz, vamos furar vossa parede, arrancar-vos-emos da vossa inércia. Um enxame de amores ou, se quiserdes, uma legião de anjos (são feitos da mesma maneira), lutareis em vão como o Mefistófeles do belo drama filosófico de Goethe. Apesar disso, apesar das vossas disciplinas e vossos rostos pálidos, vós revivereis, amareis, sabereis, vereis e, sobre os restos do último convento, vireis dançar conosco a roda infernal de Fausto!

Felizes, no tempo de Jesus, aqueles que choravam! Felizes, agora, os que sabem rir, porque rir é **próprio do homem,** como disse o grande profeta Rabelais, o Messias da Renascença. O riso é a indulgência, o riso é a filosofia. O céu se acalma quando ri e o grande arcano da onipotência divina não é mais que um sorriso eterno!

Capítulo VI

O GRANDE SEGREDO

Sabedoria, moralidade, virtude: palavras respeitáveis, porém vagas, sobre as quais se discute, desde há muitos séculos, sem se chegar a um acordo!

Queria ser sábio, todavia terei eu certeza da minha sabedoria enquanto possa crer que os loucos são mais felizes e até estão mais alegres que eu?

É preciso ter bons costumes, no entanto todos somos um pouco como as crianças; as moralidades nos adormecem. É que nos ensinam moralidades tolas que não convém à nossa natureza. Falam-nos do que não nos interessa e pensamos noutra coisa.

A virtude é uma grande coisa: seu nome quer dizer força, poder. O mundo subsiste pela virtude de Deus. Porém, em que consiste para nós a virtude? Será uma virtude jejuar para enfraquecer a cabeça e amaciar o rosto? Chamaremos nós virtude a simplicidade do homem de bem que se deixa despojar por velhacos? Será virtude abster-se, por temor de abusar? Que pensaríamos nós de um homem que não andasse, com medo de quebrar a perna? A virtude em todas as coisas é o oposto da nulidade, do torpor e da impotência.

A virtude supõe a ação; pois, se ordinariamente opomos a virtude às paixões, é para mostrar que ela só nunca é passiva.

A virtude não é somente a força, mas também a razão diretora da força. É o poder equilibrante da vida.

O grande segredo da virtude, da virtualidade e da vida, quer temporal, quer eterna, pode formular-se: – **A arte de balancear as forças para equilibrar o movimento.**

O equilíbrio que é preciso procurar não é o que produz a imobilidade, mas o que realiza o movimento. Pois a imobilidade é a morte e o movimento é a vida.

Este equilíbrio motor é o da própria natureza. A natureza, equilibrando as forças fatais, produz o mal físico ou mesmo a destruição aparente para o homem mal-equilibrado. O homem se liberta dos males da natureza, sabendo subtrair-se, por um emprego inteligente da sua liberdade, à fatalidade das forças. Empregamos aqui a palavra fatalidade, porque as forças imprevistas e incompreendidas pelo homem mal-equilibrado lhe parecem necessariamente fatais.

A natureza proveu à conservação dos animais dotados de instinto, porém dispôs tudo para que o homem imprevidente pereça.

Os animais vivem, por assim dizer, por si mesmos e sem esforços. Só o homem deve aprender a viver. Ora, a ciência da vida é a ciência do equilíbrio moral.

Conciliar o saber e a religião, a razão e o sentimento, a energia e a brandura, eis o fundo deste equilíbrio.

A verdadeira força invencível é a força sem violência. Os homens violentos são homens fracos e imprevidentes, cujos esforços se voltam sempre contra eles mesmos.

A afeição violenta se assemelha ao ódio e quase à aversão.

A cólera violenta faz com que a pessoa se entregue cegamente aos seus inimigos. Os heróis de Homero, quando se atacam, têm o cuidado de insultar-se para procurar pôr-se reciprocamente em furor, sabendo bem que, conforme todas as probabilidades, o mais furioso dos dois será vencido.

O fogoso Aquiles estava predestinado a perecer desgraçadamente. É o mais altivo e o mais valoroso dos gregos e só causa desastre aos seus concidadãos.

Aquele que faz tomar Troia é o prudente e paciente Ulisses, que sempre se contém e fere só com golpe seguro. Aquiles é a paixão e Ulisses é a virtude; e é conforme este dado que devemos compreender o alto alcance filosófico e moral dos poemas de Homero.

O autor destes poemas era, sem dúvida, um iniciado de primeira ordem, e o grande arcano da Alta Magia prática está inteiramente na Odisseia.

O grande arcano da magia, o arcano único e incomunicável tem por objeto pôr, por assim dizer, o poder divino ao serviço da vontade do homem.

Para chegar à realização deste arcano é preciso: **Saber** o que se deve fazer, **Querer** o que é preciso, **Ousar** o que se deve e **Calar-se** com discernimento.

O Ulisses de Homero tem contra si os deuses, os elementos, os ciclones, as sirenas, Circe etc. Isto é, todas as dificuldades e todos os perigos da vida.

Seu palácio é invadido, sua mulher é ultrajada, seus bens são saqueados, a sua morte está determinada, perde seus companheiros, seus navios são submergidos; enfim, fica só e em luta contra a noite e contra o mar. E sozinho, aplaca os deuses, escapa do mar, cega o ciclope, engana as sereias, domina Circe, readquire seu palácio, liberta sua mulher, mata os que queriam matá-lo, porque **queria** rever Ithaca e Penélope, porque sabia sempre escapar do perigo, porque **ousava** a propósito e porque se **calava** sempre quando não era conveniente falar.

Porém, dirão com contrariedade os amadores de contos azuis, isto não é magia. Não existem talismãs, ervas e raízes que fazem operar prodígios? Não existem fórmulas misteriosas que abrem as portas fechadas e fazem aparecer os espíritos? Falai-nos disso e deixemos para outra vez os vossos comentários sobre a Odisseia.

Vós sabeis, crianças, pois é para crianças, sem dúvida, que tenho de responder, vós sabeis se lestes minhas obras precedentes que reconheço a eficácia relativa das fórmulas, das ervas e dos talismãs. Porém, esses são pequenos meios que se prendem aos pequenos mistérios. Eu vos falo agora das grandes forças morais e não dos instrumentos materiais. As fórmulas pertencem aos ritos da iniciação, os talismãs são auxiliares magnéticos, as raízes e ervas pertencem à medicina oculta e o próprio Homero não as desdenha. O Moly, o Lothos e o Nepenthes têm o seu lugar nestes poemas, porém são ornamentos muito acessórios. O copo de Circe nada pode sobre Ulisses, que conhece seus efeitos funestos e sabe evitar de beber nele. O iniciado à alta ciência dos magos nada tem a temer dos feiticeiros.

As pessoas que recorrem à magia cerimonial e vão consultar os adivinhos se assemelham às que, multiplicando as práticas de devoção, querem ou esperam suprir à religião verdadeira. Nunca as vereis contentes ao dar-lhes sábios conselhos.

Todas vos escondem um segredo que é bem fácil de adivinhar e que é este: tenho uma paixão que a razão condena e que prefiro à razão; é por isso que venho consultar o oráculo do desvario, a fim de que me faça esperar, que me ajude a enganar minha consciência e me dê a paz do coração.

Vêm assim beber numa fonte enganosa que, longe de satisfazer-lhes a sede, aumenta-a sempre cada vez mais. O charlatão fornece oráculos obscuros, a gente encontra neles o que quer encontrar e volta a procurar esclarecimentos. Volta-se no dia seguinte, no dia posterior a este, volta-se sempre, e é assim que as cartomantes fazem fortuna.

Os gnósticos basilidianos diziam que Sofia, a sabedoria natural do homem, tendo-se apaixonado por si mesma, como o Narciso da fábula, desviou o olhar do seu princípio e lançou-se fora do círculo traçado pela luz divina a que chamava pleroma. Então, só nas trevas, fez sacrilégios para dar à luz. E como a hemorroíssa do Evangelho, perdia seu sangue, que se transformava em monstros horríveis. A mais perigosa de todas as loucuras é a sabedoria corrompida.

Os corações corrompidos envenenam toda a natureza. Para eles, o esplendor dos belos dias é apenas um ofuscante aborrecimento e todos os gozos da vida, mortos para estas almas mortas, se levantam diante delas para amaldiçoá-las como os espectros de Ricardo III: "Desespera e morre". Os grandes entusiasmos os fazem sorrir e lançam ao amor e à beleza, como que para se vingarem, o desprezo insolente de Stenio e de Rollon. Não devemos deixar cair os braços, acusando a fatalidade, mas devemos lutar contra ela e vencê-la. Aqueles que sucumbem nesse combate são os que não souberam ou não quiseram triunfar. Não saber é uma desculpa, porém não é uma justificação, pois que se pode aprender. "Pai, perdoai-lhes, porque não sabem o que fazem", dizia o Cristo ao expirar. Se fosse permitido não saber, a prece do Salvador teria falta de exatidão e o Pai não teria tido nada a perdoar-lhes. Quando a gente não sabe, deve querer aprender. Enquanto não se sabe é temerário ousar, porém sempre é bom calar-se.

Capítulo VII

O PODER QUE CRIA E TRANSFORMA

A vontade é essencialmente realizadora, e podemos tudo o que cremos razoavelmente poder.

Na sua esfera de ação, o homem dispõe da onipotência de Deus; pode criar e transformar.

Esse poder deve exercê-lo primeiramente sobre si mesmo. Quando vem ao mundo, suas faculdades são um caos, as trevas da inteligência cobrem o abismo do seu coração, e seu espírito é balanceado sobre a incerteza como se fosse levado sobre as ondas.

A razão então lhe é dada, porém essa razão ainda é passiva, pertencendo a ele torná-la ativa, irradiar sua fronte no meio das ondas e exclamar: – Faça-se a luz!

Torna-se uma razão; torna-se uma consciência; faz-se coração. A lei divina será para ele tal como ele a tiver feito e a natureza inteira para ele se tornará o que quiser.

A eternidade entrará e permanecerá na sua memória. Dirá ao espírito "Sê matéria", e à matéria "Sê espírito", e o espírito e a matéria lhe obedecerão!

Toda substância se modifica pela ação, toda ação é dirigida pelo espírito, todo espírito se dirige conforme uma vontade e toda vontade é determinada por uma razão.

A realidade das coisas está na sua razão de ser. Essa razão das coisas é o princípio do que é.

Tudo só é força e matéria, dizem os ateus. É como se afirmássemos que os livros são apenas papel e tinta.

A matéria é auxiliar do espírito; sem o espírito, ela não teria razão de ser e não existiria.

A matéria se transforma em espírito por intermédio dos nossos sentidos, e essa transformação, sensível somente para as nossas almas, é o que chamamos prazer.

O prazer é o sentimento de uma ação divina. Alimentar-se é criar a vida e transformar, do modo mais maravilhoso, as substâncias mortas em substâncias vivas.

Por que arrasta a natureza os sexos um para o outro com tanto arrebatamento e tanta embriaguez? É que ela os convida à grande obra por excelência, à obra da eterna fecundidade.

Que se fale dos gozos da carne! A carne não tem tristezas nem gozos: é um instrumento passivo. Os nossos nervos são as cordas do violino com o qual a natureza nos faz ouvir e sentir a música da volúpia e todos os gozos da vida, mesmo os mais perturbados, são o quinhão exclusivo da alma.

Que é a beleza senão a impressão do espírito sobre a matéria? Tem o corpo da Vênus de Milo necessidade de ser carne para encantar os nossos olhos e exaltar nosso pensamento? A beleza da mulher é o hino da maternidade; a forma agradável e delicada do seu seio nos lembra continuamente a primeira sede dos nossos lábios; quereríamos poder retribuir-lhe em eternos beijos o que nos deu em suaves efusões. Será, então, pela carne que estamos apaixonados? Despojadas da sua adorável poesia, que nos inspirariam estas rolhas elásticas e glandulosas, cobertas com uma pele ora morena, ora branca e rósea? E que se tornariam as nossas mais encantadoras emoções se a mão do amante, cessando de tremer, tivesse de armar-se da lente do físico ou do escalpelo do anatomista?

Numa fábula engenhosa, Apuleio relata que um experimentador inábil, tendo seduzido a criada de uma mágica, que lhe forneceu uma pomada preparada para sua senhora, procurou mudar-se em pássaro e só conseguiu metamorfosear-se em asno. Disseram-lhe que, para readquirir sua primeira forma, bastava comer rosas, e, a princípio, julgou fácil a coisa. Porém, logo compreendeu que as rosas não são feitas para os asnos. Logo que tentava aproximar-se de uma roseira, repeliam-no a cacetadas. Sofreu mil males e, enfim, só pôde ser libertado pela intervenção direta da divindade.

Desconfiaram que Apuleio tinha sido cristão e viram, nesta lenda do asno, uma crítica velada dos mistérios do Cristianismo. Zelosos de voar para o céu, os cristãos teriam desconhecido a ciência e teriam caído sob o jugo desta fé cega que os fazia acusados, durante os primeiros séculos, de adorar a cabeça de um asno.

Escravos de uma austeridade fatal, não podiam mais aproximar-se destas belezas naturais que são figuradas pelas rosas. O prazer, a beleza, a própria natureza e a vida eram votadas ao anátema por estes rudes e ignorantes condutores que tocavam na sua frente o pobre asno de Belém. É então que a idade média sonhou com o romance da rosa. É então que os iniciados nas ciências da Antiguidade, ciosos de reconquistar a rosa sem abjurar a cruz, reuniram as suas imagens e tomaram o nome de Rosa-Cruzes, a fim de que a rosa fosse ainda a cruz e que a cruz, por sua vez, pudesse imortalizar a rosa.

Só existe verdadeiro prazer, verdadeira beleza, verdadeiro amor, para os sábios, que são verdadeiramente criadores da sua própria felicidade. Eles se abstêm para aprender a bem usar, e quando se privam é para adquirir uma felicidade.

Que miséria é mais deplorável do que a dá alma e quanto são dignos de lástima os que empobreceram seu coração! Comparai a pobreza de Homero e a riqueza de Trimalcyon e dizei-nos: qual dos dois é miserável? Que significam bens que nos pervertem e que nunca possuímos, porque sempre devemos perdê-los ou deixá-los para outros? Para que servem se não forem entre as nossas mãos instrumentos da sabedoria? Para aumentar as necessidades da vida animal, para nos embrutecer na sociedade e no desgosto! Será este o fim da existência? Será o ideal positivo da vida? Não é, pelo contrário, o ideal mais falso e mais depravado? Empregar a alma para engordar o corpo, já é grande loucura; porém, matar sua alma e seu corpo para deixar, um dia, uma grande fortuna para um jovem idiota que a lançará às mãos cheias no regaço banal da primeira cortesã que se apresenta não é o cúmulo da demência? E eis aí o que fazem os homens sérios que tratam os filósofos e poetas de sonhadores.

O que acho desejável, dizia Cursio, não é ter riquezas; é mandar nos que as têm. E São Vicente de Paula, sem pensar, talvez, na máxima de Cursio, revelou toda a sua grandeza em proveito de beneficência. Que soberano teria podido fundar tantos hospitais, dotar tantos asilos? Que Rotschild teria encontrado tantos milhões para isso? O pobre padre Vicente de Paula quis, falou e as riquezas obedeceram. É que possuía o poder que cria e transforma, uma vontade perseverante e sábia apoiada sobre as leis mais sagradas da natureza. Aprendei a querer o que Deus quer, e tudo o que quiserdes certamente se realizará.

Sabei também que os contrários se realizam pelos contrários: a cupidez é sempre pobre, o desinteresse é sempre rico.

O orgulho provoca o desprezo, a modéstia atrai o louvor, a libertinagem mata o prazer, a temperança purifica e renova os gozos. Obtereis sempre, e com certeza, o contrário do que quereis injustamente e sempre encontrareis o cêntuplo do que sacrificardes pela justiça. Se, pois, quiserdes colher à esquerda, semeai à direita; e meditai neste conselho que tem a aparência de um paradoxo e que vos faz entrever um dos maiores segredos da filosofia oculta.

Quereis atrair, fazei o vácuo. Isso se realiza em virtude de uma lei física análoga a uma lei moral. As correntes impetuosas procuram as profundezas imensas. As águas são filhas das nuvens e dos montes e procuram sempre os vales. Os verdadeiros gozos vêm de cima, já o dissemos: é o desejo que os atrai e o desejo é um abismo.

O nada atrai o todo e é por isso que os entes mais indignos de amor são, às vezes, os mais amados. A plenitude procura o vácuo e o vácuo suga a plenitude. Os animais e as amas bem o sabem.

Píndaro nunca teria amado Sapho e ela devia resignar-se a todo o desdém de Phaon. Um homem e uma mulher de gênio são irmão e irmã; sua união seria um incesto e o homem que é somente um homem nunca amará uma mulher de barba.

Rousseau parecia ter pressentido isso quando casou com uma criada, um virago estúpido e cúpido. Porém, nunca pôde fazer compreender a Teresa sua superioridade intelectual, e ele lhe era evidentemente inferior nas grosserias da existência. No lar, Teresa era o homem e Rousseau a mulher. Rousseau era muito altivo para aceitar uma semelhante posição. Protestou contra o lar, pondo os filhos de Teresa na casa dos enjeitados. Pôs, assim, a natureza entre ele e ela e expôs-se a todas as vinganças da mãe.

Homens de gênio, não tenhais filhos; os vossos únicos filhos legítimos são os vossos livros. Nunca vos caseis; vossa esposa é a glória! Guardai vossa virilidade para ela; e embora encontreis uma Heloisa, não vos exponhais por uma mulher ao destino de Abelardo.

Capítulo VIII

AS EMANAÇÕES ASTRAIS E AS PROJEÇÕES MAGNÉTICAS

Um Universo é um grupo de globos imantados que se atraem e se repelem uns aos outros. Os entes produzidos pelos diferentes globos participam da sua imantação universal.

Os homens mal-equilibrados são ímãs desregrados ou excessivos que a natureza equilibra uns pelos outros até que a falta parcial de equilíbrio tenha produzido a destruição.

A análise espectral de Bunsen levará a ciência a distinguir a especialidade dos ímãs e a dar assim uma razão científica das instituições antigas da astrologia judiciária. Os diversos planetas do sistema exercem certamente uma ação magnética sobre o nosso globo e sobre as diversas organizações dos entes vivos que o habitam.

Todos nós bebemos os aromas do céu misturados com o espírito da Terra e nascido sob a influência de diversas estrelas; temos todos preferências para uma força caracterizada por uma forma, um gênio e uma cor.

A Pitonisa de Delfos, sentada sobre uma trípode, em cima de uma fenda da terra, aspirava o fluido astral pelas partes sexuais, caía na demência ou no sonambulismo e proferia palavras incoerentes que, às vezes, eram oráculos. Todas as naturezas nervosas entregues às desordens das paixões se assemelham à Pitonisa e aspiram Python, isto é, o espírito mau e fatal da Terra, depois lançam com força o fluido que as penetrou, aspiram em seguida, com uma força igual, o fluido vital dos outros entes, para absorvê-los, exercendo assim, alternativamente, o poder malevolente do feiticeiro e do vampiro.

Se os doentes atacados por esse **aspir** e esse **respir** deletérios os tomarem por um poder e quiserem aumentar a sua ascensão e projeção, manifestarão **seus** desejos por cerimônias que se chamam evocações e enfeitiçamentos bem como se tornarão o que outrora se chamavam necromantes e feiticeiros.

Todo apelo a uma inteligência desconhecida e estranha, cuja existência nos é demonstrada e que tem por fim substituir sua direção pela da nossa razão e do nosso livre-arbítrio, pode ser considerado como um suicídio intelectual, pois é um apelo à loucura.

Tudo o que abandona uma vontade a forças misteriosas, tudo o que faz falar em nós outras vozes que não as da consciência e da razão, pertence à alienação mental.

Os loucos são visionários extáticos. Uma visão quando a gente está despertada é um acesso de loucura. A arte das evocações é a arte de obter uma loucura factícia, cujos acessos a gente provoca.

Toda visão é da natureza do sonho. É uma ficção da nossa demência. É uma nuvem das nossas imaginações desregradas projetada na luz astral; somos nós mesmos que aparecemos a nós, disfarçados em fantasmas, cadáveres ou demônios.

Os loucos, no círculo da sua atração e da sua projeção magnética, parecem fazer a natureza produzir disparates: os móveis estalam e se deslocam, os corpos leves são atraídos ou lançados a distância. Os alienistas o sabem muito bem, porém temem afirmá-lo, porque a ciência oficial ainda não admitiu que os entes humanos sejam ímãs e que estes ímãs possam ser desregrados e falseados. O abade Vianney, cura de Ars, julgava-se incessantemente ridicularizado pelo demônio; e Berbiguier de Terra-nova do Thym se munia de longos alfinetes para espetar os duendes.

Ora, o ponto de apoio existe na resistência que lhes opõe o progresso indisciplinado. Na democracia, o que torna impossível a organização de um exército é que cada soldado quer ser general. Só há um general entre os Jesuítas.

A obediência é a ginástica da liberdade. Nesse sentido, para chegar a fazer sempre o que se quer, é preciso aprender a fazer, muitas vezes, o que não se queria fazer. O que nos agrada é estar ao serviço da fantasia. Fazer o que devemos querer é exercer e fazer triunfar ao mesmo tempo a razão e a vontade.

Os contrários se afirmam e se confirmam pelos contrários. Olhar para a esquerda quando se quer ir para a direita é dissimulação e prudência; porém, pôr pesos no prato da esquerda de uma balança quando se quer fazer subir o prato da direita é conhecer as leis da dinâmica e do equilíbrio.

Na dinâmica, é a resistência que determina a quantidade da força, porém não existe resistência que não seja vencida pela persistência do esforço e do movimento, e é assim que o rato rói a corda e a gota de água fura a rocha.

O esforço renovado todos os dias aumenta e conserva a força, embora a ação seja aplicada a uma coisa indiferente em si mesma ou então irracional e ridícula. É uma ocupação pouco séria, na aparência, mover entre os dedos as contas de um rosário, repetindo duzentas ou trezentas vezes: "Eu vos saúdo, Maria". Pois bem! que uma religiosa se deite sem ter recitado o seu rosário e, no dia seguinte, despertará desesperada, não terá coragem de fazer a oração da manhã e ficará distraída durante o ofício.

Por isso, seus diretores lhe repetem continuamente, e com razão, que não negligenciem as pequenas coisas.

Os grimórios e rituais mágicos estão cheios de prescrições minuciosas e aparentemente ridículas.

Comer durante dez ou vinte dias alimentos sem sal; dormir apoiado no cotovelo; sacrificar um galo perto da meia-noite, numa encruzilhada, dentro de uma floresta; ir a um cemitério buscar um punhado de terra no túmulo recente de um defunto etc.; depois cobrir-se com certos vestuários bizarros e recitar longas e fastidiosas conjurações. Queriam os autores destes livros zombar dos seus leitores? Revelar-lhes-iam eles segredos verdadeiros? Não, não zombavam, e seus ensinamentos eram sérios. Tinham por fim exaltar a imaginação dos seus adeptos e dar-lhes consciência de uma força suplementar que existe, desde que a gente creia nela e que aumenta sempre pela perseverança dos esforços. Somente, pode acontecer que, pela lei da reação dos contrários, obstinando-se a orar a Deus, se evoque o diabo e que, após conjurações satânicas, se ouçam os anjos chorarem. Todo o inferno dançava aos guizos, quando Santo Antônio recitava os salmos e o paraíso parecia renascer diante dos encantamentos do grande Alberto ou de Merlino.

É que as cerimônias em si mesmas são pouca coisa e que tudo depende do **aspir** e do **respir.** As fórmulas consagradas por um longo uso nos põem em comunicação com os vivos e os mortos e a nossa vontade, que assim entra nas grandes correntes, pode armar-se de todos os seus eflúvios. Uma criada que pratica pode, num momento dado, dispor até da onipotência temporal da Igreja sustentada pelas armas da França, como aconteceu por ocasião do batismo e rapto do judeu Montara. Toda a civilização da Europa, no XIV século, protestou contra este ato e sofreu-o porque uma criada devota o quis. Porém, a terra enviada para auxiliar esta moça, as emanações espectrais dos séculos de São Domingos e de Torquemada; S. Ghisleri orava por ela. A sombra do grande rei revogador do Édito de Nantes fazia-lhe um sinal de aprovação e o mundo clerical inteiro estava pronto para sustentá-la.

Joana d'Arc, que foi queimada como feiticeira, tinha, de fato, atraído para si o espírito da França heroica e o espalhava de um modo maravilhoso eletrizando nosso exército bem como fazendo fugirem os ingleses. Um papa a reabilitou; foi muito pouco, era preciso canonizá-la. Se esta taumaturga não era uma feiticeira, era evidentemente uma santa. Afinal, que é um feiticeiro? É um taumaturgo que o papa não aprova.

Os milagres são, se quiserdes perdoar-me esta expressão, as extravagâncias da natureza produzidas pela exaltação do homem. Produzem-se sempre em virtude das mesmas leis. Toda personagem de celebridade popular faria milagres e, às vezes, o faz sem o querer. No tempo em que a França adorava os seus reis, os reis de França curavam as escrófulas e, atualmente, a grande popularidade destes soldados pitorescos e bárbaros que chamamos zuavos desenvolveu num zuavo, chamado Jacó, a faculdade de curar pela voz e pelo olhar. Dizem que esse zuavo deixou o seu posto para passar aos granadeiros e consideramos como certo que o granadeiro Jacó não terá mais o poder que pertencia exclusivamente ao zuavo.

No tempo dos druidas, havia nas Gálias mulheres taumaturgas a que chamavam Elfos e Fadas. Para os druidas, eram santas; para os cristãos, feiticeiras. José Bálsamo, que seus discípulos chamavam o divino Cagliostro, foi condenado em Roma, como herege e feiticeiro, por ter feito predições e milagres sem autorização do ordinário. Ora, nisto os inquisidores tinham razão, pois só a Igreja Romana possui o monopólio da Alta Magia e das cerimônias eficazes. Com água e sal, ela encanta os demônios; com pão e vinho, ela evoca Deus e o força a tornar-se visível e palpável na Terra; com o óleo dá a saúde e o perdão. Faz mais ainda: cria padres e reis.

Só ela compreende e faz compreender por que os reis do tríplice reino mágico, os três magos, guiados pela estrela flamejante, vieram oferecer a Jesus Cristo, no seu berço, o ouro que fascina os olhos e faz a conquista dos corações, o incenso que leva o ascetismo ao cérebro e a mirra que conserva os cadáveres e torna de algum modo palpável o dogma da imortalidade, fazendo ver a inviolabilidade e a incorrupção na morte.

Capítulo IX

O SACRIFÍCIO MÁGICO

Falemos primeiramente do sacrifício em geral.

Que é o sacrifício? O sacrifício é a realização do devotamento.

É a substituição do inocente ao culpado, na obra voluntária da expiação.

É a compensação pela generosa injustiça do justo que sofre a pena da covarde injustiça do rebelde que usurpou o prazer.

É a temperança do sábio que faz contrapeso na vida universal às orgias dos insensatos.

Eis aí o que o sacrifício é na realidade; eis sobretudo o que deve ser.

No Mundo Antigo, o sacrifício era raramente voluntário. O homem culpado devotava então ao suplício o que considerava como sua conquista ou propriedade.

Ora, a magia negra é a continuação oculta dos ritos proscritos do Mundo Antigo. A imolação é o fundo dos mistérios da nigromancia e os enfeitiçamentos são sacrifícios mágicos em que o magnetismo do mal se substitui à fogueira e à faca. Na religião, é a fé que salva; em magia negra, é a fé que mata!

Morrer em lugar de um outro, eis o sacrifício sublime. Matar a outro para não morrer, eis o sacrifício ímpio.

Consentir no assassinato de um inocente a fim de garantir-nos a impunidade dos nossos erros seria a última e mais imperdoável das covardias, se a oferta da vítima não fosse voluntária e se essa vítima não tivesse o direito de oferecer-se como superior a nós e absolutamente senhora de si mesma. É assim que foi sentida a sua necessidade para o resgate dos homens.

Falamos aqui de uma crença consagrada por vários séculos de adoração e pela fé de vários milhões de homens, e como dissemos que o verbo coletivo e perseverante cria o que afirma, podemos dizer que isto é assim.

Ora, o sacrifício da cruz se renova e se perpetua no do altar. Aí talvez é mais espantoso ainda para o crente. De fato, o Deus vítima aí se acha, sem mesmo ter a forma de homem. É mudo e passivo, entregue a quem quer tomá-lo, sem resistência ao que ousa ultrajá-lo. E é uma hóstia branca e frágil. Vem ao apelo de um mau padre e não protestará se quiserem misturá-lo aos ritos mais impuros. Antes do Cristianismo, as Estriges comiam a carne das crianças degoladas; agora, elas se contentam com as santas hóstias.

Ignora-se que poder sobre-humano de malvadez tiram as más devotas no abuso dos sacramentos. Nada é tão venenoso como um panfletário que comunga. Tem o mau vinho – dizem de um homem que bate em sua mulher quando está bêbedo. Ouvi dizer, um dia, por um pretenso católico, que havia o **bom Deus mau**. Parece que na boca de certos comungantes se opera uma segunda transubstanciação. É Deus que foi posto na sua língua, porém é o diabo que engoliram.

Uma hóstia católica é alguma coisa verdadeiramente formidável. Ela contém todo o Céu e todo o Inferno, pois é imantada pelo magnetismo dos séculos e das multidões, magnetismo do bem quando a gente se aproxima com a verdadeira fé, magnetismo concentrado do mal quando se faz um emprego indigno. Por isso, nada é tão procurado e considerado tão poderoso para a confecção dos malefícios como as hóstias consagradas pelos padres legítimos, porém desviados do seu piedoso destino por algum roubo sacrílego.

Caímos aqui no fundo dos horrores da magia negra e ninguém suponha que, denunciando-os, queremos estimular suas práticas abomináveis.

Gilles de Laval, senhor de Raiz, numa capela secreta de seu castelo de Machecoul, fazia celebrar a missa negra por um jacobino apóstata. À elevação, degolavam uma criancinha e o marechal comungava com um fragmento da hóstia mergulhada no sangue da vítima.

O autor do grimório de Honório diz que o operador das obras da magia negra deve ser padre. As melhores cerimônias para evocar o diabo são, conforme ele, as do culto católico, e, de fato, conforme o próprio padre Ventura, o diabo nasceu das obras deste culto. Numa carta dirigida ao Sr. Gougenot Desmousseaux e publicada por este último no frontispício de uma das suas principais obras, o sábio teatino não teme afirmar que o diabo é o bobo da religião católica (ao menos tal como a entendia o padre Ventura). Eis aqui as suas próprias expressões:

"Satã, disse Voltaire, é o Cristianismo; sem Satã não há Cristianismo. Pode-se, pois, dizer que a obra-prima de Satã é conseguir fazer-se negar. Demonstrar a existência de Satã é restabelecer um dos dogmas fundamentais que servem de base ao Cristianismo e sem o qual é apenas uma palavra."

(Carta do padre Ventura ao cavalheiro Gougenot Desmousseaux, no frontispício do livro A Magia no XIX Século).

Assim, depois que Proudhon não receou dizer que "Deus é o mal", um padre, que passa por instruído, completa o pensamento do ateu, dizendo: "O Cristianismo é satã". E diz isto com tanta candura, julgando defender a religião que calunia de um modo tão espantoso, tanto a simonia e os interesses materiais mergulharam certos membros do clero no Cristianismo negro, o de Gilles de Laval e o do grimório de Honório. É, contudo, este mesmo padre que dizia ao papa: "Por causa de uma migalha, não comprometamos o reino do Céu".

O padre Ventura era, pessoalmente, um homem de bem e nele o verdadeiro cristão, muitas vezes, predominava sobre o monge e sobre o padre.

Concentrar num ponto combinado e prender a um sinal todas as aspirações para o bem é ter bastante fé para realizar a Deus neste sinal. Tal é o milagre permanente que se realiza todos os dias nos altares do verdadeiro Cristianismo.

O mesmo sinal, profanado e consagrado ao mal, deve realizar o mal da mesma forma, e se o justo, depois da comunhão, pode dizer: "Não sou mais eu que vivo, é Jesus Cristo que vive em mim, sou Jesus Cristo, sou Deus", também o comungante indigno pode dizer, com não menos certeza e verdade: "Não sou mais eu, sou Satã".

Criar Satã e fazer-se Satã, tal é o grande arcano da magia negra e é o que os feiticeiros cúmplices do senhor de Raiz julgavam realizar para ele e o realizavam de fato até certo ponto, dizendo a missa do diabo.

Ter-se-ia o homem exposto a criar o diabo, se nunca tivesse tido a temeridade de querer criar Deus, dando-lhe um corpo? Não dissemos que um Deus corpóreo projeta necessariamente uma sombra e que essa sombra é Satã? Sim, nós o dissemos e nunca diremos o contrário. Porém, se o corpo de Deus é fictício, sua sombra não pode ser real.

O corpo divino é apenas uma aparência, um véu, uma nuvem: Jesus realizou-o pela fé. Adoremos a luz e não demos realidade à sombra porque não é ela o objeto da nossa fé! A natureza quis e quer sempre que haja uma religião na Terra. A religião germina, floresce e se desenvolve no homem; é o fruto das suas aspirações e dos seus desejos; deve ser regulada pela soberana razão. Porém, as aspirações do homem para o infinito, seus desejos do bem eterno e sua razão principalmente, vêm de Deus!

Capítulo X

AS EVOCAÇÕES

Só a razão dá direito à liberdade. A liberdade e a razão, esses dois grandes e essenciais privilégios do homem, estão tão estreitamente unidos que não podemos abjurar uma, sem renunciar ao exercício da outra. A liberdade quer triunfar da razão e a razão exige imperiosamente o reino da liberdade. A razão e a liberdade são, para o homem, mais que a vida. É belo morrer pela liberdade, é sublime ser o mártir da razão, porque a razão e a liberdade são a própria essência da imortalidade da alma.

O próprio Deus é razão livre de tudo o que existe.

O diabo, pelo contrário, é o desvario fatal.

Abjurar sua razão ou sua liberdade é renegar a Deus. Fazer apelo ao desvario ou à fatalidade é mil vezes mais horrível e mais implacável do que o representam nas lendas até mais feias. Para nós e para a razão, não poderia ser o belo anjo decaído de Milton, nem o fulgurante Lúcifer, arrastando na noite sua auréola de estrelas atingida pelo raio. Essas fábulas titânicas são ímpias. O verdadeiro diabo é o das esculturas das nossas catedrais e dos pintores ingênuos dos nossos livros góticos. Sua forma, essencialmente híbrida, é a síntese de todos os pesadelos; é feio, disforme e grotesco. Está preso e prende. Tem olhos no ventre, nos joelhos e na parte posterior do seu corpo imundo. Está em toda parte em que pode introduzir-se a loucura e em toda parte arrasta após si os tormentos do inferno.

Por si mesmo, não fala; porém faz todos os nossos vícios falarem; é o ventríloquo dos gulosos, o Python das mulheres perdidas. Sua voz é ora impetuosa como o turbilhão, ora insinuante como um brando assobio. Para falar aos nossos cérebros perturbados, insinua sua língua bifurcada nos nossos ouvidos e, para desligar os nossos corações, vibra seu rabo como uma flecha. Na nossa cabeça, mata a razão; no nosso coração, envenena a liberdade e faz isso sempre, necessariamente, sem tréguas e sem piedade, pois não é uma pessoa, é uma força cega; amaldiçoa, porém o faz conosco; peca, mas em nós. Somos os únicos responsáveis pelo mal que nos faz, pois ele não tem liberdade, nem razão.

O diabo é a besta. S. João o repete fartamente no seu maravilhoso apocalipse; mas como compreender o apocalipse se não temos as chaves da santa Cabala?

Uma evocação é, pois, um apelo à besta e só a besta pode responder a ela. Acrescentemos que, para fazer aparecer a besta, é preciso formá-la em si e depois projetá-la fora. Esse segredo é o de todos os grimórios, porém só foi exposto pelos antigos mestres de um modo muito velado.

Para ver o diabo, é preciso disfarçar-se em diabo, depois olhar-se num espelho – eis aí o arcano na sua simplicidade e tal como se poderia dizer a uma criança.

Acrescentemos, para os homens, que, no mistério dos feiticeiros, o disfarce se imprime à alma pelo mediador astral e que o espelho são as trevas animadas pela vertigem.

Toda evocação será vã se o feiticeiro não começar por dar sua alma, sacrificando para sempre sua liberdade e sua razão. Deve-se compreendê-lo facilmente. Para criar em nós a besta, é preciso matar o homem, é o que era representado pelo sacrifício prévio de uma criança e, melhor ainda, pela profanação de uma hóstia. O homem que se decide a uma evocação é um miserável que a razão tortura e que quer aumentar em si mesmo o apetite bestial, a fim de criar nele um foco magnético dotado de uma influência fatal. Quer fazer-se desvario e fatalidade; quer ser um ímã desregrado e mau, a fim de atrair a si os vícios e o ouro que os alimenta. É o crime mais espantoso que a imaginação possa sonhar. É a violação da natureza. É o ultraje direto e absoluto feito à divindade; mas também e felizmente é uma obra extremamente difícil, sendo que a maior parte dos que a encetam foram malsucedidos na sua realização. Se um homem bastante forte e bastante perverso evocasse o diabo nas condições exigidas, o diabo seria realizado. Deus seria derrotado e a natureza, espantada, sofreria o despotismo do mal.

Dizem que um homem empreendeu outrora essa obra monstruosa e tornou-se papa. Dizem também que, no leito de morte, confessou ter envolvido toda a Igreja nos laços da magia negra. O que é certo é que tal papa era um sábio como **Fausto** e foi autor de várias invenções maravilhosas. Já falamos dele numa das nossas obras. Porém, o que, conforme a própria lenda, provaria que nunca evocou o diabo, isto é, que não foi o diabo, é que se arrependeu. O diabo não se arrepende.

O que faz que a maior parte dos homens sejam medíocres é que sempre são incompletos. Os homens de bem, às vezes, fazem o mal e os celerados, às vezes, se desviam e se esquecem até querer e fazer algum bem. Ora, os pecados contra Deus enfraqueçam a força de Deus e os pecados contra o diabo (quero falar dos bons desejos e das boas ações) enervam a força do diabo. Para exercer, quer em cima, quer embaixo, quer à direita, quer à esquerda, um poder excepcional, é preciso ser um homem completo.

O temor e o remorso entre os criminosos são duas coisas que vêm do bem e é por isso que eles se traem; para ser bem-sucedido no mal, é preciso ser absolutamente mau. Por isso, afirmam que Mandrin confessava os seus bandidos e lhes impunha como penitência algum assassinato de criança ou de mulher, quando se acusavam de ter sentido alguma piedade. Nero tinha alguma coisa de bom: era artista e foi o que o perdeu. Retirou-se e matou-se por despeito de músico desprezado. Se só tivesse sido imperador, teria queimado Roma uma segunda vez, porém não cederia o lugar ao Senado e a Vindex, e o povo se declararia a favor dele; teria feito cair uma chuva de ouro e os pretorianos o teriam aclamado mais uma vez. O suicídio de Nero foi uma afetação de artista.

Conseguir fazer-se Satã seria um triunfo incompleto para a perversidade do homem, se não chegasse ao mesmo tempo a fazer-se imortal. Prometeu poderá sofrer muito no seu rochedo; sabe que um dia sua cadeia será quebrada e que destronará Júpiter; porém, para ser Prometeu, é preciso ter roubado o fogo do Céu e ainda estamos no fogo do Inferno!

Não, o sonho de Satã não é o de Prometeu. Se um anjo rebelde tivesse podido roubar o fogo do Céu, isto é, o segredo divino da vida, ter-se-ia feito Deus. No entanto, só o homem é tão insensato e limitado para crer na possível solução de um teorema desta espécie: – Fazer que o que é, seja e não seja ao mesmo tempo, que a sombra seja a luz, que a morte seja a vida, que a mentira seja a verdade e que o nada seja tudo.

Por isso, o louco furioso que quisesse realizar o absoluto no mal chegaria, enfim, como o alquimista imprudente, a uma explosão formidável que o sepultaria debaixo das ruínas do seu laboratório.

Uma morte instantânea e fulminante foi o resultado das evocações infernais e é necessário convir que era bem merecida. Não se vai impunemente até os limites extremos da demência. Existem certos excessos que a natureza não suporta. Se, às vezes, viu-se morrerem sonâmbulos despertados repentinamente, se a embriaguez em certo grau produz a morte... Porém, dirão, para que estas ameaças retrospectivas? Quem, pois, em nosso século, pensa em fazer evocações com os ritos do grimório? A essa pergunta nada temos a responder, pois, se disséssemos o que sabemos, talvez não nos dessem crédito.

Aliás, evoca-se o magnetismo do mal sem ser pelos ritos do Mundo Antigo. Dissemos, no nosso precedente capítulo, que uma missa profanada por intenções criminosas torna-se um ultraje feito a Deus e um atentado do homem contra sua própria consciência. Os oráculos pedidos, quer à vertigem de um alucinado, quer ao movimento convulsivo das coisas inertes magnetizadas ao acaso, são também evocações infernais, pois são atos que tendem a subordinar à fatalidade a liberdade e a razão. É verdade que os operadores destas obras de magia negra são quase sempre inocentes por ignorância. Fazem, é verdade, apelo à besta, porém não é a besta feroz que querem escravizar ao seu desejo. Pedem somente conselhos à besta estúpida para servirem de auxiliares à sua própria estupidez.

Na magia de luz, a ciência das evocações é a arte de magnetizar as correntes da luz astral e de dirigi-las à vontade. Essa ciência era a de Zoroastro e do rei Salomão, se dermos crédito às tradições antigas; porém, para fazer o que fizeram Zoroastro e Salomão, é preciso ter a sabedoria de Salomão e a ciência de Zoroastro.

Para dirigir e dominar o magnetismo do bem, é preciso ser o melhor dos homens. Para ativar e precipitar o turbilhão do mal, é preciso ser o mais malvado. Os católicos sinceros não duvidam que as preces de uma pobre reclusa possam mudar o coração dos reis e abalar os destinos dos impérios. Nós que admitimos a vida coletiva, as correntes magnéticas e a onipotência relativa da vontade, estamos longe de desdenhar essa crença.

Antes das recentes descobertas da ciência, os fenômenos da eletricidade e do magnetismo eram atribuídos a espíritos espalhados no ar e o adepto que chegava a influenciar as correntes magnéticas julgava mandar nos espíritos. Porém, as correntes magnéticas sendo forças fatais, para dirigi-las e equilibrá-las, é preciso ser um centro perfeito de equilíbrio, e é o que faltava à maioria desses temerários exorcistas.

Por isso, muitas vezes eram fulminados pelo fluido imponderável, que atraíam com violência, sem poder neutralizá-lo. Assim reconheciam eles que, para reinar absolutamente sobre os espíritos, faltava-lhes uma coisa indispensável: o anel de Salomão.

Porém, o anel de Salomão, diz a lenda, está ainda no dedo desse monarca e seu corpo está fechado dentro de uma pedra que só será quebrada no dia do juízo final.

Tal lenda é verdadeira como todas as lendas; somente é preciso compreendê-la.

Que representa um anel? Um anel é a ponta de uma cadeia e é um círculo ao qual podem prender-se outros círculos.

Os chefes do sacerdócio sempre trouxeram anéis em sinal de domínio sobre o círculo e a cadeia dos crentes.

Ainda em nossos dias, dá-se aos prelados a investidura pelo anel e, na cerimônia do casamento, o esposo dá à esposa um anel benzido e consagrado pela igreja a fim de criá-la senhora e diretora dos interesses da sua casa e do círculo dos seus servos.

O anel pontifical e o anel nupcial, hierarquicamente consagrados e conferidos, representam, pois, e realizam um poder.

Porém, um é o poder público e social; outro é o poder filosófico, simpático e oculto.

Salomão passa por ter sido o soberano pontífice da religião dos sábios e por ter possuído, sob este título, o soberano poder do sacerdócio oculto, pois possuía, dizem, a ciência universal e só nele se realizava esta promessa da grande serpente: "Sereis como deuses, conhecendo o bem e o mal".

Dizem que Salomão escreveu o **Eclesiastes** a mais forte de todas as suas obras, depois de ter adorado Astarté e Chamos, as divindades das mulheres ímpias.

Teria assim completado sua ciência e encontrado, antes de morrer, a virtude mágica de seu anel. Em verdade, levou-o ele consigo para o túmulo? Outra lenda nos permite duvidar. Dizem que a rainha de Sabá, tendo observado atentamente tal anel, mandou fazer em segredo outro completamente igual e que, durante o sono do rei, ela achou-se junto a ele e pôde fazer furtivamente a troca dos anéis. Ela teria levado para os sabeus o verdadeiro anel de Salomão e, mais tarde, este anel teria sido encontrado por Zoroastro.

Era um anel constelado, composto dos sete grandes metais, tendo a assinatura dos sete gênios, com uma pedra ímã encarnada, na qual estavam gravados, de um lado, a figura do selo ordinário de Salomão e, do outro, seu selo mágico.

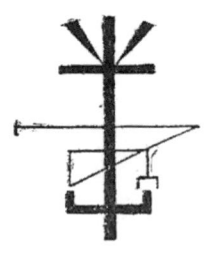

Os leitores das nossas obras compreenderão essa alegoria.

Capítulo XI

OS ARCANOS DO ANEL DE SALOMÃO

Procurai no túmulo de Salomão, isto é, nas criptas de filosofia oculta, não seu anel, mas sua ciência.

Com o auxílio da ciência e de uma vontade perseverante, chegareis a possuir o supremo arcano da sabedoria que é a dominação livre sobre o movimento equilibrado. Podereis então obter o anel, mandando fabricá-lo por um ourives, ao qual não tereis necessidade de recomendar segredo porque, não sabendo o que faz, não poderá revelá-lo aos outros.

Eis aqui a receita do anel:

Tomai e incorporai conjuntamente uma pequena quantidade de ouro e o duplo de prata nas horas de sol e da lua; ajuntai-lhe três partes, semelhantes à primeira, cinco partes de ferro, seis de mercúrio e sete de chumbo. Amalgamai tudo nas horas correspondentes aos metais e fazei do todo um anel cuja parte circular seja um pouco achatada e um pouco larga para nela gravar os caracteres.

Ponde neste anel um engaste de forma quadrada contendo uma pedra ímã vermelha, engastada num duplo anel de ouro.

Gravai na pedra, em cima e embaixo, o duplo selo de Salomão.

Gravai no anel os signos ocultos dos sete planetas tais como se acham representados nos arquidoxos mágicos de Paracelso ou na filosofia oculta de Agripa; magnetizai fortemente o anel, consagrando-o todos os dias, durante uma semana, com as cerimônias marcadas no nosso ritual, sem negligenciar a cor do vestuário, os perfumes especiais, a presença de animais simpáticos, as conjurações especiais que deverão ser sempre precedidas pela conjuração dos quatro, dada no nosso ritual.

Em seguida, envolvereis o anel num pano de seda e, depois de tê-lo perfumado, podeis trazê-lo convosco.

Um pedaço redondo de metal ou um talismã preparado da mesma forma teria tanta virtude como o anel.

Uma coisa assim preparada é como que um reservatório da vontade. É um refletor magnético que pode ser muito útil, porém nunca é de necessidade.

Aliás, já dissemos que os antigos ritos perderam sua eficácia desde que o Cristianismo apareceu no mundo.

A religião cristã e católica é, de fato, a filha legítima de Jesus, rei dos magos. Seu culto não é mais que a alta magia submetida às leis da hierarquia, que são indispensáveis para que seja razoável e eficaz.

Um simples escapulário trazido por uma pessoa verdadeiramente cristã, é um talismã mais invencível que o anel e o pentáculo de Salomão.

Jesus Cristo, este homem-Deus, tão humilde, dizia ao falar de si mesmo: "A rainha de Sabá veio do Oriente para ver e ouvir Salomão, é há aqui mais que Salomão".

A missa é a mais prodigiosa das evocações.

Os necromantes evocam os mortos, o feiticeiro evoca o diabo e estremece, porém o padre católico não treme ao evocar o Deus vivo!

Que são todos os talismãs da ciência antiga comparados com a hóstia consagrada?

Deixai dormir no seu túmulo de pedra o esqueleto de Salomão e o anel que podia ter em seu dedo descarnado. Jesus Cristo ressuscitou, está vivo. Tomai um destes anéis de prata que se vendem na porta das igrejas e que trazem a imagem do crucificado com as dez contas do rosário. Se fordes digno de trazê-lo, será mais eficaz na vossa mão que o verdadeiro anel de Salomão.

Os ritos mágicos e as práticas minuciosas do culto são tudo para os ignaros e supersticiosos; recorda-nos uma historieta muito conhecida, que vamos lembrar em poucas palavras, porque vem muito a propósito aqui.

Dois monges entram numa cabana que tinha ficado ao cuidado de duas crianças. Pedem para descansar e comer, se isso fosse possível. As crianças respondem que nada têm e que nada podem dar.

– Pois bem – diz um dos monges – temos fogo; emprestai-nos somente uma caçarola e um pouco de água, pois faremos por nós mesmo a nossa sopa.

– Com quê? – perguntam as crianças.

– Com este calhau – respondeu o esperto religioso, indo apanhar uma pedrinha. – ignorais então, meus filhos, que os discípulos de S. Francisco possuem o segredo da sopa de calhau?

– A sopa de calhau? – Que maravilha para as crianças! Prometem-lhes que a experimentarão e a acharão excelente.

Imediatamente preparam a caçarola, deitam-lhe água, acendem o fogo e o calhau é posto na água com precaução.

— Muito bem — dizem os monges. — Agora um pouco de sal e alguns legumes; escutai, há tantos no vosso jardim. Não poderíamos acrescentar-lhes um pouco de toucinho salgado? A sopa só ficará melhor com isso.

As crianças, acocoradas diante do fogão, olham com espanto. A água ferve.

— Vamos, cortai pão e trazei aquela terrina. Que cheiro, heim! Cobri e deixai ensopar. Quanto ao calhau, envolvei-o cuidadosamente; nós vo-lo deixamos pelo vosso trabalho. Nunca se gasta e sempre pode servir. Agora, experimentai a sopa! Então, que dizeis?

— Oh, ela é excelente! — dizem os pequenos camponeses, batendo palmas.

Era, de fato, uma boa sopa de couve e toucinho que as crianças nunca teriam oferecido aos seus hóspedes, sem a maravilha do calhau.

Os ritos mágicos e as práticas religiosas são, em parte, o calhau dos monges. Servem de pretexto e de ocasião para a prática das virtudes que são as únicas indispensáveis à vida moral do homem. Sem o calhau, os bons monges não teriam se alimentado; o calhau tinha, pois, verdadeiramente um poder? — Sim, na imaginação das crianças, postas em jogo pela habilidade dos bons padres.

Isto seja dito sem criticar e ofender quem quer que seja. Os monges tiveram espírito e não foram mentirosos. Ajudaram as crianças a fazer uma boa ação e as maravilharam, fizeram-lhes partilhar de uma boa sopa e, neste ponto, aconselhamos àqueles que têm fome e para quem a sopa de couve é alguma coisa muito difícil de fazer ou talvez muito simples que façam a sopa de calhau.

Que nos compreendam bem aqui. Não queremos dizer que os sinais e ritos sejam uma grande mistificação. Eles o seriam se os homens não os necessitassem. Porém, é preciso ter em conta este fato incontestável: todas as inteligências não são iguais. Sempre contaram-se fábulas às crianças e se lhes contarão enquanto houver amas e mães. As crianças têm fé e é o que as salva. Imaginai um rapazinho de sete anos que dissesse: "Nada quero admitir que não compreenda." Que se poderia ensinar a este pequeno monstro?

– Admite primeiro a coisa pela palavra dos teus mestres, homenzinho; depois, estuda e, se não fores idiota, compreenderás.

É preciso fábulas às crianças; são necessárias fábulas e cerimônias ao povo; é preciso auxiliares à fraqueza do homem. Feliz do que possuísse o anel de Salomão; mais feliz, porém, daquele que igualasse ou até ultrapassasse Salomão em ciência e sabedoria, sem precisar do seu anel!

Capítulo XII

O SEGREDO TERRÍVEL

Verdades há que devem ser para sempre misteriosas para os fracos de espíritos e para os tolos. E tais verdades podem ser-lhes ditas sem temor. Pois certamente jamais as compreenderão.

Que é um tolo? – É alguma coisa mais absurda que uma besta. É o homem que quer ter chegado antes de ter andado. É o homem que se julga senhor de tudo porque chegou a alguma coisa. É um matemático que despreza a poesia. É um poeta que protesta contra os matemáticos. É um pintor que diz que a teologia e a cabala são inépcias, porque nada entende de cabala e teologia. É o ignorante que nega a ciência sem ter o trabalho de estudá-la. É o homem que fala sem saber e afirma sem certeza. São os tolos que matam os homens de gênio. Galileu foi condenado, não pela Igreja, mas por tolos que, infelizmente, pertenciam à Igreja. A tolice é um animal feroz que tem a calma da inocência; assassina sem remorso. O tolo é o urso da fábula de La Fontaine; esmaga a cabeça do seu amigo debaixo de uma pedra para caçar uma mosca; porém, diante da catástrofe, não procureis fazer-lhe confessar que errou. A tolice é inexorável e infalível como o inferno e a fatalidade, pois é sempre dirigida pelo magnetismo do mal.

O animal nunca é tolo enquanto age franca e naturalmente como animal, porém o homem ensina a tolice aos cães e aos burros sábios. O tolo é o animal que despreza o instinto e que aparenta inteligência.

O progresso existe para o animal; pode-se dominá-lo, prendê-lo ou excitá-lo, porém não existe para o tolo. Isso porque o tolo julga que nada tem a aprender. É ele que quer reger e educar aos outros e com ele nunca tereis razão. Ele vos escarnece à vista, dizendo que o que não compreende é radicalmente incompreensível. De fato, por que não o compreenderei eu? Ele vos dirá com admirável aprumo. E nada mais tendes a responder-lhe. Dizer-lhe que é um tolo seria apenas fazer-lhe um insulto. Todos veem, porém ele jamais o saberá.

Eis, pois, um já formidável arcano inacessível à maioria dos homens. Eis aí um segredo que jamais adivinharão e que seria inútil dizer-lhes: o segredo da tolice deles.

Sócrates bebe a cicuta, Aristides é proscrito, Jesus é crucificado; Aristófanes ri-se de Sócrates e faz rirem os tolos de Atenas; um camponês se aborrece de ouvir dar a Aristides o nome de Justo e Renan escreve a vida de Jesus para o maior prazer dos tolos. É por causa do número quase infinito dos tolos que a política é e será sempre a ciência da dissimulação e da mentira. Maquiavel ousou dizê-lo e foi ferido por uma reprovação bem legítima, pois, fingindo dar lições aos príncipes, ele traía a todos e os denunciava à desconfiança das multidões. Àqueles que somos obrigados a enganar não devemos prevenir.

É por causa das vis e tolas multidões que Jesus dizia aos seus discípulos: "Não lanceis pérolas aos porcos, pois eles as calcariam aos pés e se voltariam contra vós, procurando despedaçar-vos."

Vós, portanto, que desejais tornar-vos poderosos em obras, nunca digais a alguém o vosso pensamento mais secreto. Nem mesmo o digais, e quase ousaria dizer-vos, escondei-o sobretudo à mulher a quem amais; lembrai-vos da história de Sansão e Dalila! Desde que uma mulher julga conhecer a fundo seu marido, ela cessa de amá-lo. Quer governá-lo e dirigi-lo. Se resiste, ela o odeia; se cede, ela o despreza. Procura um outro homem para penetrar. A mulher tem sempre necessidade do desconhecido e do mistério e seu amor geralmente não é mais que uma insaciável curiosidade.

Por que são os confessores poderosos sobre a alma e quase sempre sobre o coração das mulheres? É que sabem todos os seus segredos, ao passo que as mulheres ignoram os dos confessores.

A Franco-Maçonaria é poderosa no mundo pelo seu terrível segredo tão prodigiosamente guardado, que os iniciados, mesmo os dos mais altos graus, não o sabem.

A religião católica se impõe às multidões por um segredo que o próprio papa não sabe. Esse segredo é o dos mistérios. Os antigos gnósticos o sabiam como indica o nome deles, porém não souberam guardar silêncio. Quiseram vulgarizar a gnose; resultaram daí doutrinas ridículas que a Igreja teve razão de condenar. Porém, com eles infelizmente foi condenada a porta do santuário oculto e lançaram suas chaves no abismo.

É aí que os Joanitas e os Templários ousaram ir buscá-las com risco da danação eterna. Mereceriam eles, por isso, serem condenados no outro mundo? Tudo o que sabemos é que, neste mundo, os Templários foram queimados.

A doutrina secreta de Jesus era esta:

Deus tinha sido considerado como um senhor e o príncipe deste mundo era o mal; eu, que sou o filho de Deus, vos digo: não procuremos Deus no espaço; ele está nas nossas consciências e nos nossos corações. Meu pai e eu somos um e quero que vós e eu sejamos um. Amemo-nos uns aos outros como irmãos. Não tenhamos mais que um coração e uma alma. A lei religiosa é feita para o homem, e o homem não é feito para a lei. As prescrições legais estão submetidas ao livre-arbítrio da nossa razão unida à fé. Crede no bem e o mal nada poderá sobre vós.

Quando vos reunirdes em meu nome, meu espírito estará no meio de vós. Ninguém dentre vós deve julgar-se mestre dos outros, porém todos devem respeitar a decisão da assembleia. Todo homem deve ser julgado conforme as suas obras e medido conforme a medida que fez para si. A consciência de cada homem constitui sua fé e a fé do homem é o poder de Deus nele.

Se sois senhor de vós mesmo, a natureza vos obedecerá e governareis os outros. A fé dos justos é mais inabalável que as portas do inferno e sua esperança jamais será confundida.

Eu sou vós e vós sois eu, no espírito de caridade que é o nosso e que é Deus. Crede nisso e vosso verbo será criador. Crede nisso e fareis milagres. O mundo vos perseguirá e fareis a conquista do mundo.

Os bons são aqueles que praticam a caridade e ajudam aos infelizes; os maus são os corações em piedade e estes serão eternamente reprovados pela humanidade e pela razão.

As velhas sociedades fundadas sobre a mentira perecerão; um dia o filho do homem pairará sobre as nuvens do Céu, que são as trevas da idolatria, e fará um juízo definitivo sobre os vivos e os mortos.

Desejai a luz, pois ela se fará. Aspirai à justiça, pois ela virá. Não procureis a vitória da espada, pois o assassinato provoca o assassinato. É pela paciência e a brandura que vos tornareis senhor de vós mesmos e do mundo.

Entregai agora esta doutrina admirável aos comentários dos sofistas da decadência e polemistas da Idade Média, e daí vereis sair belas coisas. – Se Jesus era filho de Deus, como o engendrou Deus? É ele da mesma substância de Deus ou de outra substância? A substância de Deus! Que eterno assunto de disputa para a ignorância presunçosa! Era ele uma pessoa divina ou uma pessoa humana? Tinha ele duas naturezas e duas vontades? Terríveis questões que merecem que as pessoas se excomunguem e se degolem! – Jesus tinha uma só natureza e duas vontades, dizem uns; porém não os escuteis, são hereges; então, duas naturezas e uma vontade? – Não, duas vontades. – Então, estava em oposição consigo mesmo? – Não, porque essas duas vontades faziam uma só que se chama Teândrica. – Oh! oh, diante dessa palavra, não digamos mais nada e, além disso, é preciso obedecer à Igreja que se tornou muito diferente da primitiva assembleia dos fiéis. A lei é feita para o homem, disse Jesus, porém o homem é feito para a Igreja, diz a Igreja, e é ela que impõe a lei. Deus sancionará todos os decretos da Igreja e condenará a todos vós, se ela decidir que sois todos ou quase todos condenados. Jesus diz que é preciso referir-se à assembleia, portanto ela é infalível, é Deus, e, se ela decidir que dois e dois são cinco, dois e dois serão cinco.

Se ela diz que a Terra é imóvel e que o Sol gira, é proibido à Terra de girar. Ela vos dirá que Deus salva seus eleitos dando-lhes a graça eficaz e que os outros serão condenados por terem recebido somente graças suficientes, as quais, por causa do pecado original, bastavam em princípio, porém não eram suficientes em fato; que o papa salva e condena a quem quer, pois tem as chaves do Céu e do Inferno. Depois vêm os casuístas com seus molhos de chaves que não abrem, mas fecham com duas ou três voltas as portas dos compartimentos feitos na torre de Babel. Ó Rabelais, meu mestre! só tu podes trazer a panaceia que convém a toda demência. Uma grande gargalhada! Dize-nos, enfim, a última palavra de tudo isso e ensina-nos definitivamente se uma quimera que arrebata fazendo ruído no vácuo pode encher-se de novo e adquirir bandulho absorvendo a substância quiditativa e mirífica das nossas segundas intenções.

Utrum chimera in vacuum bombinans possit
concidere secundum intentiones.

Outros tolos, outros comentários. Eis que vêm os adversários da Igreja a dizer-nos: – Deus está no homem, isso quer dizer que não há outro Deus senão a inteligência humana. Se o homem está acima da lei religiosa e esta lei embaraça o homem, por que não suprimiria ele a lei? Se Deus é nós e se nós somos todos irmãos, se ninguém tem o direito de chamar-se nosso senhor, por que obedeceremos nós? A fé é a razão dos imbecis. Não acreditemos em nada e não nos submetamos a ninguém.

Pois seja! Isto é altivez. Porém, será necessário baterem-se uns contra os outros. Eis a guerra dos deuses e a exterminação dos homens! Ora! miséria e tolice!... Mais ainda, mais ainda, tolice, tolice e miséria!

Pai, perdoai-lhes, dizia Jesus, porque não sabem o que fazem. – Pessoas de bom senso, quem quer que sejais, acrescentarei eu, não os escuteis, porque não sabem o que dizem.

"Mas então são inocentes", vai gritar um terrível menino. – Silêncio, imprudente. Silêncio, em nome do céu, ou toda moral está perdida! Aliás vós vos enganais. Se fossem inocentes, seria permitido fazer como eles e quereríeis vós imitá-los? Crer que tudo é uma tolice; a tolice não pode, pois, ser inocente. Se há circunstâncias atenuantes, só a Deus pertence apreciá-las.

A nossa espécie é evidentemente defeituosa e, ao ouvir falar e ver agir a maioria dos homens, parece que não têm bastante razão para serem seriamente responsáveis. Ouvi falar na Câmara os homens que a França (o primeiro país do mundo) honra com a sua confiança. Eis o orador da oposição. Eis o campeão do ministério. Cada qual prova vitoriosamente que o outro nada entende dos negócios de Estado. "A" prova que "B" é um idiota, "B" prova que "A" é um saltimbanco. A quem dar crédito? Se fordes branco, acreditareis em "A"; se fordes vermelho, acreditareis em "B". Porém, a verdade, meu Deus! a verdade! – A verdade é que "A" e "B" são charlatões e dois mentirosos. Desde que existiu uma dúvida entre eles, provaram que um e outro nada valia. Admiro a prova e admiro a ambos nesta demolição mútua. Encontra-se tudo nos livros, exceto o que ordinariamente o autor quis pôr neles. Riem-se da religião como de uma impostura e mandam-se as crianças à Igreja. Ostenta-se cinismo e tem-se superstição. O que se teme acima de tudo é o bom senso, é a verdade, é a razão.

A vaidade pueril e o sórdido interesse levam os homens pelo nariz até a morte, este esquecimento definitivo e motejador supremo. O fundo da maior parte das almas é a vaidade. Ora, que é a vaidade? É o vácuo. Multiplicai os zeros quantas vezes quiserdes, sempre valerão zero; amontoai nadas e a nada chegareis, nada, nada. Nada, eis aí o programa da maioria dos homens!

E são esses os imortais! E essas almas, tão ridiculamente enganadoras e enganadas, são imperecíveis! Para todos estes estouvados, a vida é uma armadilha suprema que encobre o inferno! Oh! há certamente aqui um segredo terrível: é o da responsabilidade. O pai responde por seus filhos, o senhor pelos seus servos e o homem inteligente pela multidão ignorante. A redenção se realiza por todos os homens superiores, a tolice sofre, porém só o espírito expia. A dor do verme que é esmagado e da ostra que é despedaçada não são expiações.

Sabe, pois, ó tu que queres ser iniciado nos grandes mistérios, que fazes um pacto com a dor e afrontas o inferno! O abutre, o Prometeu, olhando para você, e as Fúrias, guiadas por Mercúrio. preparam cunhas de madeiras e cravos. Vais ser sagrado, isto é, consagrado ao suplício. A humanidade tem necessidade dos teus tormentos.

O Cristo morreu jovem numa cruz e todos aqueles a quem iniciou foram mártires. Apolônio de Tiana morreu pelas torturas que sofreu nas prisões de Roma. Paracelso e Agripa levaram uma vida errante e morreram miseravelmente. Guilherme Postello morreu preso. São Germano e Cagliostro tiveram um fim misterioso e provavelmente trágico. Cedo ou tarde é preciso satisfazer ao pacto quer formal, quer tácito. É preciso libertar-se do imposto que a natureza estabeleceu sobre os milagres. É preciso ter uma luta final com o diabo, desde que se tomou a liberdade de ser Deus.

Eritis sicut dii scientes bonum et malum.

FIM DA PRIMEIRA PARTE

SEGUNDA PARTE

O MISTÉRIO SACERDOTAL, OU A ARTE DE FAZER SERVIR-SE PELOS ESPÍRITOS

Capítulo I

AS FORÇAS ERRANTES

Um sentimento vago, que poderíamos chamar a consciência do infinito, agita o homem e o atormenta. Sente em si forças ociosas, crê sentir que se agitam ao redor de si inimigos sem formas ou auxiliares desconhecidos. Tem, muitas vezes, necessidade de crer no absurdo e experimentar o impossível; ou então sente-se doente e alquebrado, tudo lhe escapa, e quereria torcer o desespero para dele sair uma esperança nova. O amor o enganou, a amizade o abandonou, a razão não lhe basta mais. Um filósofo o entristeceria; um mago o espantaria; é então que lhe é necessário um padre!

O padre é o domador dos hipócritas da imaginação e das tarascas da fantasia. Tira uma força das nossas fraquezas e compõe uma realidade com as nossas quimeras; é o médico homeopata da loucura humana. Aliás não é ele mais que um homem? Não tem ele uma missão legítima cujos títulos de nobreza remontam ao Calvário ou ao Sinai? Falo aqui do padre católico e, de fato, só este existe. Os judeus têm rabinos; os muçulmanos, imãs; os indianos, brâmanes; os chineses, bonzos; os protestantes, ministros. Só os católicos têm padres, porque só eles têm o altar e o sacrifício, isto é, toda a religião.

Exercer a alta magia, é fazer concorrência ao sacerdócio católico, é ser um padre dissidente. Roma é a grande Tebas da iniciação nova. Ela moveu outrora os ossos dos seus mártires para combater os deuses evocados por Juliano. Tem como criptas suas catacumbas; como talismãs seus rosários e suas medalhas; como cadeias mágicas suas congregações; como focos magnéticos seus conventos; como centro de atração seus confessionários; como meios de expansão suas cátedras, a imprensa e as ordenações dos seus bispos. Enfim, tem seu papa; seu papa, o homem-Deus visível e permanente na Terra, seu papa que pode ser um tolo como o são, mais ou menos, todos os fanáticos ou um celerado como Alexandre VI, mas nem por isso deixará de ser o regularizador dos espíritos, o árbitro das consciências e, em todo o universo cristão, o distribuidor legítimo da indulgência e dos perdões.

É insensato, ides dizer. – Sim, é quase insensato à força de ser grande. É quase ridículo; tanto isto ultrapassa o sublime. Que poder igual jamais apareceu na Terra? E se ele não existisse quem ousaria inventá-lo? Como se produziu este efeito imenso? Donde vem este prodígio que parece realizar o impossível? – Da concentração das forças errantes, da associação e da direção dos instintos vagos, da criação convencional do absoluto na esperança e na fé!

Gritai agora contra o monstro, filósofos do décimo oitavo século! O monstro é mais forte que vós e vos vencerá. Dizei que é preciso esmagar a infame, discípulos de Voltaire: a infame! Pensai vós nisso? A infame, inspiradora de Vicente de Paula e de Fenelon, a infame, que sugere tantos sacrifícios às nobres irmãs de caridade, tantos devotamentos a pobres e castas missionárias! A infame, fundadora de tantas casas de caridade, de tantos refúgios para o arrependimento, de tantos retiros para a inocência. Se aí está a infâmia, ao passo que a honra estaria com as vossas calúnias e vossas injúrias, abraço com amor o pelourinho e calco aos pés a vossa honra.

Porém, não é isso que quereis dizer, e não quero, por minha vez, ser vosso caluniador. Alma de Voltaire, a quem de boa vontade chamarei alma santa, porque preferias a todas as coisas a verdade e a justiça; para ti o bom senso era Deus e a tolice era o diabo. Só vistes a alma no presepe de Belém. Vistes a entrada triunfal de Jesus em Jerusalém e ristes das orelhas do jumento. Isto devia agastar Freron. Ah! se tivesses conhecido Veuillot! Porém, falemos seriamente, pois se trata aqui de coisas graves.

O Gênio do Cristianismo respondeu aos sarcasmos de Voltaire, ou antes, Chateaubriand completou Voltaire, pois estes dois grandes homens estão igualmente fora do catolicismo dos padres.

As orelhas de burro serão indispensáveis enquanto houver burros no mundo, e deve haver nele, pois que a natureza, filha de Deus, os criou.

Jesus Cristo quis ter uma jumenta para montar e é por isso que o Santo Padre monta numa mula. Sua própria chinela é chamada **mula,** talvez para indicar que um bom papa deve ser **teimoso** até a ponta dos dedos dos pés. **Non possumus,** diz nosso Santo Padre Pio IX quando lhe pedem concessões e reformas. O papa nunca diz ***possumus,*** "podemos", porque isso é o grande arcano do sacerdócio; todos os padres bem o sabem, porém isso é verdade principalmente enquanto não o dizem.

O poder fundado no mistério deve ser um poder misterioso, pois noutro caso não existiria mais.

Creio que este homem pode alguma coisa que não poderei definir por causa de outra coisa que não compreendo e também ele não compreende. Portanto, devo obedecer-lhe, pois não poderei dizer porque não obedecerei, não podendo negar a existência do que não sei, existência que, aliás, ele afirma com igual razão. Sinto que isto não é razoável e estou muito satisfeito com isto porque ele me diz, muitas vezes, que é preciso desconfiar da razão. Somente acho que isto me faz bem e que pensar assim me tranquiliza.

– Tendes razão, Charbonnier.

Amores abortados ou desiludidos, ambições repelidas; raivas impotentes, ressentimentos amargurados, orgulho que aspira a descer, preguiça do espírito cansado pela dúvida, arroubos da ignorância para o desconhecido e, principalmente, para o maravilhoso, temores vagos da morte, tormentos da má consciência, necessidade do descanso que nos foge sem cessar, sonhos sombrios e grandiosos dos artistas, visões terríveis da eternidade. Eis aí as forças errantes que a religião reúne e com as quais forma uma paixão, a mais invencível e a mais formidável de todas: a devoção.

Essa paixão é sem freio, porque nada pode retê-la ou limitá-la; ela se gloria dos seus excessos e crê que a eternidade começa por ela; ela absorve todos os sentimentos, torna insensível tudo o que não é ela e leva o zelo da propaganda até o despotismo mais assassino e até o furor mais implacável. São Domingos e São Pio V são reconhecidos como tais por toda a Igreja e não podem ser renegados por um católico submisso e de boa fé.

Compreende-se quanto a devoção pode tornar-se uma poderosa alavanca na mão de uma autoridade que se declara infalível. Dai-me um ponto de apoio fora do mundo, dizia

Arquimedes, e eu deslocarei a Terra. Os padres encontraram um ponto de apoio fora da razão da humanidade:

"Vendo que os homens não chegavam ao conhecimento de Deus pela ciência e a razão, aprouve-nos – diz o príncipe dos apóstolos – salvar os crentes pela absurdidade da fé!"

Adversários da Igreja, que tendes vós a responder aqui? São Paulo fala, como diz, com a boca aberta e não pretende enganar ninguém.

A força religiosa do dogma está nesta obscuridade que faz sua absurdidade aparente. Um dogma explicado não é mais um dogma, é um teorema de filosofia ou, ao menos, um postulado. Querem sempre confundir a religião e a filosofia, e não compreendem que a sua separação e a sua distinção, não digo o seu antagonismo, são absolutamente necessárias para o equilíbrio da razão.

Os astrônomos pensam que os cometas são errantes apenas em relação ao nosso sistema, porém seguem um curso regular que vai de um sistema a outro e descreve uma elipse cujos focos são dois sóis.

O mesmo acontece com as forças errantes do homem. Uma só luz não lhes basta e, para equilibrar seu voo, lhes são necessários dois centros e dois focos: um é a razão e o outro a fé.

Capítulo II

OS PODERES DOS PADRES

Para que o padre seja poderoso, é necessário que saiba ou que creia. A conciliação da ciência com a fé pertence ao grande hierofante.

Se o padre sabe sem crer, pode ser um homem de bem ou um homem indigno. Se for homem de bem, explora a fé dos outros em proveito da razão e da justiça. Se for um homem indigno, explora a fé em proveito da sua cobiça, mas então não é mais padre: é o mais vil dos malfeitores.

Se crê sem saber, é um parvo respeitável, porém perigoso, que os homens de ciência devem dominar e vigiar.

O sacerdócio e a realeza, no Cristianismo, são apenas delegações. Todos nós somos padres e reis; porém, como as funções sacerdotais e reais supõem a ação de um só sobre uma multidão, confiamos os nossos poderes na ordem temporal a um rei e na ordem espiritual a um padre.

O rei cristão é um padre como todos nós, porém não exerce o sacerdócio.

O padre cristão é rei como todos nós, porém não deve exercer a realeza.

O padre deve dirigir o rei e o rei proteger o padre.

O padre tem as chaves e o rei leva a espada.

O padre do cristianismo primitivo era São Pedro e o rei era São Paulo.

O rei e o padre recebem seus poderes do povo, que foi consagrado rei e padre pela santa unção do batismo, aplicação do sangue divino de Jesus Cristo.

Toda sociedade é salvaguardada pelo equilíbrio desses dois poderes.

Que amanhã não haja mais papa, depois de amanhã não haverá mais reis e não haverá ninguém para reinar, quer na ordem temporal, quer na ordem espiritual, porque ninguém obedecerá; então não haverá mais sociedade e os homens matarão uns aos outros.

O papa é o padre e o padre é o papa, pois um é representante do outro. A autoridade do papa vem dos padres e a dos padres volta ao papa. Acima só há Deus. Tal é, ao menos, a crença dos padres.

Portanto, para aqueles que têm confiança nele, o padre dispõe de um poder divino. Ousarei até dizer que seu poder parece ser mais que divino, porque ordena ao próprio Deus que venha e Deus vem. Faz mais ainda: cria a Deus por uma palavra! Por um prestígio atribuído à sua pessoa, despoja os homens do seu orgulho e as mulheres do seu pudor. Ele os força a virem contar-lhe as torpezas por causa das quais os homens combateriam, se alguém desconfiasse delas, e cujos nomes as mulheres nem mesmo quereriam ouvir a não ser no confessionário. Aí, porém, estão em regra com as pequenas infâmias; elas as dizem em voz baixa e o padre lhas perdoa ou lhes impõe uma penitência: algumas preces a recitar, alguma mortificação a praticar e elas partem consoladas. Será, então, muito caro comprar a paz do coração ao preço de um pouco de sujeição!

A religião, sendo a medicina dos espíritos, certamente impõe sujeições, como o médico prescreve remédios e submete os seus doentes a um regime. Ninguém pode contestar razoavelmente a utilidade da medicina, mas nem por isso devem os médicos querer forçar as pessoas sadias a tratar-se e purgar-se.

Seria um espetáculo alegre ver o presidente da Academia de Medicina lançar encíclicas contra todos aqueles que vivem sem ruibarbo e proscrever da sociedade aqueles que pretendem, com a sobriedade e o exercício, poder dispensar o médico. Porém, de alegre a cena passaria a ser trágica, sem deixar de ser grandemente ridícula, se o governo, apoiando as pretensões do decano, deixasse aos refratários somente a escolha entre a seringa de Purgão e o fuzil de Mata-moscas. A liberdade de regime é tão inviolável como a liberdade de consciência.

Dir-me-eis, talvez, que não se consultam os loucos antes de administrar-lhes duchas. Concordo; porém, tomai cuidado: isto se voltaria contra vós. Os loucos estão em oposição com a razão comum. Têm crenças excepcionais e extravagâncias que querem impor e que os tornam furiosos. Não façais pensar que seria preciso responder com duchas **obrigatórias** aos defensores do **Syllabus**.

O poder do padre é totalmente moral e não poderia impor-se pela força. Porém, por outro lado, e por uma justa compensação, a força nada pode para destruí-lo. Se matardes um padre, fareis um mártir. Fazer um mártir é assentar a primeira pedra de um altar e todo altar produz seminários de padres. Derribai um altar e, com as suas pedras dispersadas, construirão vinte que não derribareis. A religião não foi inventada pelos homens; ela é fatal, isto é, providencial; produziu-se por si mesma para satisfazer às necessidades dos homens e é assim que Deus a quis e revelou.

O vulgo crê nela porque não a compreende e porque ela lhe parece ser tão absurda que o subjuga e lhe agrada, e eu creio nela porque a compreendo e acho absurdo não crer nela.

- Sou eu, nada temais - diz o Cristo, andando sobre as ondas, no meio da tempestade.

- Senhor, se sois vós - diz São Pedro - ordenai que eu vá ao vosso encontro, andando também sobre as ondas.

- Vem! - responde o Salvador. - E São Pedro andou sobre o mar.

Imediatamente, o vento se levanta mais furioso, as vagas balanceiam e o homem tem medo; está para afundar-se. Jesus, retendo-o e levantando-o pela mão, lhe diz:

- Homem de pouca fé, por que duvidaste?

Capítulo III

O ENCADEAMENTO DO DIABO

O prazer é um inimigo que deve fatalmente tornar-se nosso escravo ou nosso senhor. Para possuí-lo, é preciso combater e, para gozá-lo, é preciso tê-lo vencido.

O prazer é um escravo encantador, porém um senhor cruel, implacável e assassino. Aqueles a quem possui ele cansa, esgota, mata, depois de ter enganado todos os seus desejos e traído todas as suas esperanças. A servidão de um prazer se chama uma paixão. A dominação sobre um prazer pode chamar-se um poder.

A natureza pôs o prazer junto ao dever; se o separarmos do dever, ele se corrompe e nos envenena. Se nos prendermos ao dever, o prazer não se separará mais dele, nos seguirá e será nossa recompensa. O prazer é inseparável do bem. O homem de bem pode sofrer, é verdade; porém, para ele, um prazer imenso se desprende da dor. Jó, no seu monturo, recebe a visita de Deus que o consola e o releva, ao passo que Nabucodonosor, no seu trono, se curva sob uma mão fatal que lhe tira a razão e o muda em besta. Jesus, expirando na cruz, dá um brado de triunfo, como se sentisse a sua próxima ressurreição, ao passo que Tibério em Caprea, no meio das suas criminosas delícias, trai as angústias de sua alma e confessa, numa carta dirigida ao Senado, que todos os dias se sente morrer!

O mal só pode prender-nos pelos nossos vícios e pelo temor que nos inspira. O diabo persegue os que têm medo dele e foge dos que o desprezam. Bem fazer e nada temer é a arte de encadear o demônio.

Porém, não fazemos aqui um tratado de moral. Revelamos os segredos da ciência mágica aplicada à medicina dos espíritos. É, pois, necessário dizer alguma coisa das possessões e exorcismos.

Todos temos em nós mesmos o sentimento de uma dupla vida. As lutas do espírito contra a consciência, do desejo covarde contra o sentimento generoso, da besta, enfim, contra a criatura inteligente, as fraquezas da vontade arrastada, muitas vezes, pela paixão, as reprovações que nós nos dirigimos, a desconfiança de nós mesmos, os sonhos que temos acordados; tudo isto parece nos revelar a presença em nós de duas pessoas de caráter diferente, uma das quais nos exorta ao bem, ao passo que a outra quereria arrastar-nos ao mal.

Dessas ansiedades naturais da nossa dupla natureza concluiu-se que existem dois anjos presos a cada um de nós, um bom e outro mau, sempre presentes, um à nossa direita e outro à nossa esquerda. Isso é Puro e simplesmente simbolismo, porém dissemos, e isto é um arcano da ciência, que a imaginação do homem é bastante poderosa para dar formas passageiramente reais aos entes que seu verbo afirma. Mais de uma religiosa viu e tocou seu anjo da guarda; mais de um asceta achou-se frente a frente e lutou realmente com seu demônio familiar.

Nas visões que provocamos e que procedem de uma disposição doentia, aparecemos a nós mesmos sob formas que uma projeção magnética fornece à nossa imaginação exaltada. E também, às vezes, certos doentes ou maníacos podem projetar forças que imantam objetos submetidos à sua influência, de modo que esses objetos parecem deslocar-se e mover-se por si mesmos.

Essas produções de imagens e de forças, não pertencendo à ordem habitual da natureza, procedem sempre de alguma disposição doentia que pode tornar-se contagiosa de um momento para outro pelos efeitos do espanto, do temor ou de alguma má disposição.

Duplicam-se então os prodigiosos e tudo parece ser arrastado pela vertigem da demência. Semelhantes fenômenos, produzidos pelo magnetismo do mal, são evidentemente desordens, e o vulgo teria razão se admitisse a definição que demos, de atribuí-los ao demônio.

Assim se produziram os milagres dos convulsionários de S. Médard, dos tremedores das Cevenas e tantos outros. Assim se produzem as singularidades do espiritismo; no centro de todos estes círculos, na frente de todas estas correntes, havia exaltados e doentes. Graças à ação da corrente e à pressão dos círculos, os doentes podem tornar-se incuráveis e os exaltados tornar-se loucos.

Quando a exaltação visionária e o desregramento magnético se produzem em estado crônico, o doente fica obcecado ou possesso, conforme a gravidade do mal.

O indivíduo que se acha nesse estado é atacado por uma espécie de sonambulismo contagioso, sonha acordado, crê no absurdo e o produz até certo ponto, ao redor de si; fascina os olhos e engana os sentidos das pessoas impressionáveis que o rodeiam. É então que a superstição triunfa e que a ação do diabo se torna evidente. De fato, ela é evidente, porém o diabo não é o que julgamos. Podia-se definir a magia como a ciência do magnetismo universal, porém seria tomar o efeito pela causa. A causa, já o dissemos nós, é a luz principiante do **od**, **ob** e **aur** dos hebreus. Voltemos, porém, ao magnetismo, cujos grandes segredos e futuros teoremas ainda não são conhecidos.

I
Todos os entes que vivem sob uma forma são polarizados para aspirar e respirar a vida universal.

II
As forças magnéticas nos três reinos são feitas para equilibrar-se pela força dos contrários.

III
A eletricidade é apenas o calor especial produzido pela circulação do magnetismo.

IV
Os remédios não curam as doenças pela ação própria da sua substância, porém pelas suas propriedades magnéticas.

V
Toda planta é simpática a um animal e antipática ao animal contrário. Todo animal é simpático a um homem e antipático a outro. A presença de um animal pode mudar o caráter de uma doença.

Mais de uma solteirona ficaria louca, se não tivesse um gato e seria quase razoável se, com a posse de um gato, conseguisse conciliar a de um cão.

VI
Não há uma planta, não há um inseto, não há uma pedra que não oculte uma virtude magnética e que não possa servir quer à boa, quer à má influência da vontade humana.

VII
O homem tem o poder natural de aliviar seus semelhantes, pela vontade, pela palavra, pelo olhar e pelos sinais. Para exercer esse poder, é preciso conhecê-lo e crer nele.

VIII

Toda vontade não manifestada por um sinal é uma vontade ociosa. Há sinais diretos e sinais indiretos. O sinal direto tem mais poder porque é mais racional; porém, o sinal indireto é sempre um sinal ou uma ação correspondente à ideia, e como tal pode realizar a vontade. Porém, o sinal indireto só é efetivo quando o sinal direto é impossível.

IX

Toda determinação à ação é uma projeção magnética. Todo consentimento a uma ação é uma atração de magnetismo. Todo ato consentido é um pacto. Todo pacto é uma obrigação livre a princípio, fatal depois.

X

Para agir sobre os outros sem ligar-se a si mesmo, é preciso estar nesta independência perfeita que só a Deus pertence. Pode o homem ser Deus? Sim, por participação!

XI

Exercer um grande poder sem ser perfeitamente livre é votar-se a uma grande fatalidade. É por isso que um feiticeiro não pode arrepender-se e é necessariamente condenado.

XII

O poder do mago e o do feiticeiro são o mesmo; somente o mago segura-se na árvore quando corta o ramo, e o feiticeiro está suspenso no próprio ramo que quer cortar.

XIII

Dispor das forças excepcionais da natureza é pôr-se fora da lei. É, por conseguinte, submeter-se ao martírio, sendo justo, e a um legítimo suplício, se o não for.

XIV

**"Pelo rei a Deus fica proibido
de aqui neste lugar fazer milagres"**

é uma inscrição paradoxal somente na forma. A polícia deste ou daquele lugar pertence ao rei e, enquanto o rei é rei, Deus não pode pôr-se em contradição com a polícia dele. Deus pode lançar no monturo os maus papas e os maus reis, porém não pode opor-se às leis reinantes. Portanto, todo milagre que se faz contra a autoridade espiritual e legal do papa ou contra a autoridade temporal e legal do rei não vem de Deus, mas do diabo.

Deus, no mundo, é a ordem e a autoridade; Satã é a desordem e a anarquia. Por que é não só permitido, mas também glorioso resistir a um tirano? É que o tirano é um anarquista que usurpou o poder. Quereis, pois, lutar vitoriosamente contra o mal? Sede a personificação do bem. Quereis vencer a anarquia? Sede o poder de Deus.

Ora, o poder de Deus se manifesta na humanidade por duas forças: a fé coletiva e a incontestável razão.

Há, pois, duas espécies de exorcismos infalíveis: os da razão e os da fé. A fé manda nos fantasmas, de que é rainha, porque é a mãe deles, e eles se afastam por algum tempo. A razão sopra sobre eles em nome da ciência e eles desaparecem para sempre.

Capítulo IV

O SOBRENATURAL E O DIVINO

O que o vulgo chama sobrenatural é o que lhe parece contra a natureza.

A luta contra a natureza é o sonho insensato dos ascetas; como se a natureza não fosse a própria lei de Deus.

Chamaram concupiscência as atrações legítimas da natureza. Lutaram contra o sono, contra a fome e a sede, contra os desejos do amor. Lutaram não só para triunfar das atrações superiores, mas com o pensamento de que a natureza é corrompida e que a satisfação da natureza é um mal. Resultaram daí estranhas aberrações. A insônia criou o delírio, o jejum esvaziou os cérebros e encheu-o de fantasmas, o celibato forçado fez nascerem monstruosas impurezas.

Os íncubos e súcubos infestaram os claustros. O priapismo e a histeria criaram desde esta vida um inferno para os monges sem vocação e as freiras presunçosas.

Santo Antônio e Santa Teresa lutaram contra lúbricos fantasmas; assistiram em imaginação a orgias de que a antiga Babilônia não teve ideia.

Maria Alacoque e Messalina sofreram os mesmos tormentos: os do desejo exaltado além da natureza e impossível de satisfazer.

Havia, contudo, entre elas esta diferença: é que se Messalina tivesse podido prever Maria Alacoque, teria tido ciúmes dela.

Resumir todos os homens num só, como Calígula na sua sede de sangue quis fazer, e ver este homem dos homens abrir seu peito e dar-lhe para adorar seu coração cheio de sangue e todo ardente, e para que adorasse como consolação de jamais poder saciar-se de amor, que sonho teria sido para Messalina! O amor, esta vitória triunfal da natureza não lhe pode ser arrebatado sem que ela se irrite. Quando julga tornar-se sobrenatural, torna-se contrário à natureza e a mais monstruosa das impurezas é a que profana e prostitui de algum modo a ideia de Deus. Ixion atirando-se a Juno e esgotando sua força viril numa nuvem vingadora era, na alta filosofia simbólica dos antigos, a figura desta paixão sacrílega, punida nos infernos por laços de serpentes que o prendiam a uma roda e a faziam girar numa vertigem eterna. A paixão erótica, desviada do seu objeto legítimo e exaltada até o desejo insensato de fazer, por assim dizer, violência ao infinito, é a mais furiosa das aberrações da alma e, como a demência do Marquês de Sade, tem sede de torturas e de sangue. A jovem despedaçará seu seio com tecidos de ferro; o homem esgotado, desnorteado pelos jejuns e as vigílias, se abandonará inteiramente às delícias depravadas de uma flagelação cheia de sensações estranhas; depois, à força de fadigas, virão as horas de um sono cheio de sonhos enervantes.

Desses excessos resultarão doenças que serão o desespero da ciência. Todos os sentidos perderão seu emprego natural para fornecer elementos a sensações mentirosas, as cicatrizes mais espantosas que as da sífilis aparecerão nas mãos, nos pés e ao redor da cabeça chagas de supuração intermitente e profundamente dolorosa. Logo a vítima não verá mais, não tomará mais alimentos e ficará mergulhada num idiotismo profundo de que só sairá para morrer, a menos que não se opere uma reação terrível, manifestada por acessos de histerismo ou de priapismo, que farão crer na ação direta do demônio.

Infelizes, então, dos Urbano Grandier e dos Gaufridy! Os furores das bacantes que despedaçaram Orfeu foram apenas inocentes brincadeiras comparadas com a raiva das piedosas pombas do Senhor entregues à fúria do amor!

Quem nos contará os indizíveis romances da célula do malfeitor ou do leito solitário em que parece dormir a religiosa enclausurada! Os ciúmes do esposo divino, seus abandonos que a tornam louca, suas carícias que dão sede de amor! As resistências do súcubo coroado de estrelas. Os desprezos da Virgem rainha dos anjos, as complacências de Jesus Cristo!

Oh! os lábios que beberam uma vez neste copo fatal ficam alterados e trêmulos. Os corações queimados uma vez por esse delírio acham secas e insípidas as fontes reais do amor. De fato, que é um homem para a mulher que sonhou um Deus? Que é a mulher para o homem cujo coração palpitou pela beleza eterna? Ah! pobres insensatos, nada mais é para vós e, todavia, é tudo; pois é a realidade, a razão, a vida.

Os vossos sonhos são apenas sonhos, os vossos fantasmas são apenas fantasmas. Deus, a lei viva. Deus, a sabedoria suprema, não é cúmplice das vossas loucuras, nem o objeto possível das vossas paixões desesperadas. Um pelo caído da barba de um homem, um só cabelo perdido por uma mulher real e viva são coisas melhores e mais positivas que as vossas devoradoras quimeras. Amai-vos uns aos outros e adorai a Deus.

A verdadeira adoração de Deus não é o aniquilamento do homem na cegueira e no delírio; é, pelo contrário, a sua exaltação tranquila na luz da razão. O verdadeiro amor de Deus não é o pesadelo de Santo Antônio; é, pelo contrário, a paz profunda, esta tranquilidade que resulta da ordem perfeita. Tudo o que o homem julga sobrenatural na sua própria vida é contra a natureza e tudo o que é contra a natureza ofende a Deus. Eis o que um verdadeiro sábio deve saber muito bem!

Nada é sobrenatural, nem mesmo Deus, porque a natureza o demonstra. A natureza é sua lei, seu pensamento; a natureza é ele mesmo e, se pudesse dar desmentidos à natureza, poderia atentar contra sua própria existência. O milagre, considerado divino, se saísse da ordem eterna seria o suicídio de Deus.

Um homem pode naturalmente curar os outros, porque Jesus Cristo, os santos e os magnetizadores o fizeram e o fazem ainda todos os dias. Um homem pode elevar-se da terra, andar sobre a água etc., pode tudo o que Jesus pôde e é ele quem o diz: "Aqueles que crerem, farão coisas que faço e coisas maiores ainda".

Jesus ressuscitou mortos, porém jamais evocou almas. Ressuscitar um homem é curar a letargia que ordinariamente precede a morte. Evocá-lo depois da morte é imprimir à vida um movimento retrógrado, é violentar a natureza, e Jesus não o podia.

O milagre divino é a natureza que obedece à razão; o milagre infernal é a natureza que parece desordenar-se para obedecer à loucura. O verdadeiro milagre da vida humana é o bom senso, é a razão paciente e tranquila, é a sabedoria que pode crer sem perigo, porque sabe duvidar sem amargura e sem cólera, é a boa vontade perseverante que procura, estuda e espera. É Rabelais que celebra o vinho, bebe a miúdo água, cumpre os deveres de um bom cura e escreve seu **Pantagruel.** Um dia que Jean de La Fontaine tinha posto suas meias ao avesso, perguntou seriamente se Santo Agostinho tinha tanto espírito como Rabelais. Voltai as vossas meias, bom La Fontaine, e guardai-vos para o futuro de fazer semelhantes perguntas; talvez o senhor Fontenelle seja bastante ousado para responder-vos.

Tudo o que tomamos por Deus não é Deus e tudo o que tomamos pelo diabo não é o diabo.

O que é divino escapa à apreciação do homem e, sobretudo, do homem vulgar. O belo é sempre simples, a verdade parece coisa ordinária e o justo passa desapercebido porque não molesta ninguém. A ordem nunca é notada; é a desordem que atrai a atenção porque é embaraçosa e gritadora. As crianças são, na maioria, insensíveis à harmonia; preferem o tumulto e o ruído; é assim que, na vida, muitas pessoas procuram o drama e o romance. Desprezam o belo sol e sonham com os esplendores do raio e imaginam a virtude somente com a cicuta. Se tivessem sido verdadeiros sábios, Sócrates não teria morrido e Catão teria vivido livre; porém, tê-los-ia conhecido o mundo, se tivessem sido verdadeiros sábios?

Saint Martin não o cria, ele que dava o nome de filósofos desconhecidos aos iniciados à verdadeira sabedoria. Calar-se é uma das grandes leis do ocultismo. Ora, calar-se é ocultar-se. Deus é a onipotência que se oculta e Satã é a impotência vaidosa que sempre procura mostrar-se.

Capítulo V

OS RITOS SAGRADOS E OS RITOS MALDITOS

Está relatado na Bíblia que dois padres, tendo posto um fogo profano nos seus turíbulos, foram devorados diante do altar por uma explosão de ciúme do fogo sagrado. Essa história é uma ameaçadora alegoria.

Os ritos não são, de fato, nem indiferentes nem arbitrários. Os ritos eficazes são os ritos consagrados pela autoridade legítima, e os ritos profanos produzem sempre um efeito contrário ao desejado pelo temerário operador.

Os ritos das antigas religiões dissolvidas e anuladas pelo Cristianismo são ritos profanos e malditos para quem não crê seriamente na verdade dessas religiões, hoje proscritas.

Nem o Judaísmo nem os outros grandes cultos do Oriente disseram a sua última palavra. São condenados, porém ainda não foram julgados e, até o julgamento, seus protestos podem ser considerados como legítimos.

Os ritos deixados atrás pelo andar do progresso religioso são, por isso mesmo, profanados e como que malditos. Poderão compreender mais tarde as grandezas ainda ignoradas do dogma judaico, porém o mundo cristão não voltará por isso à circuncisão.

O cisma de Samaria era uma volta ao simbolismo do Egito; por isso, nada ficou dele e as dez tribos desapareceram misturadas com as nações e para sempre absorvidas por elas.

Os ritos dos grimórios hebraicos, já condenados pela lei de Moisés, pertenciam ao culto dos patriarcas, que ofereciam vítimas nas montanhas, evocando visões. É um crime querer começar novamente o sacrifício de Abraão.

Só os cristãos católicos e ortodoxos estabeleceram um dogma e fundaram um culto; os hereges e sectários só souberam negar, suprimir e destruir. Levam-nos ao deísmo vago e à negação de toda religião revelada, o que rechaça Deus a uma tão profunda obscuridade, que os homens não são mais interessados em saber se verdadeiramente ele existe. Fora das magistrais e positivas afirmações de Moisés e Jesus Cristo acerca da Divindade, o resto nada mais é que dúvida, hipótese e fantasia.

Para os antigos povos que odiavam os judeus e a quem os judeus detestavam, Deus não era mais que o gênio da natureza, gracioso como a primavera, terrível como a tempestade, e as mil transformações desse proteu tinham povoado de grande multidão de deuses os diversos panteões do mundo.

Porém, acima de tudo, reinava o destino, isto é, a fatalidade. Os deuses dos antigos eram apenas forças naturais. A própria natureza era o grande panteu. As consequências fatais de tal dogma deviam ser o materialismo e a escravidão.

O Deus de Moisés e de Jesus Cristo é um. É espírito; é eterno, independente, imutável e infinito; pode tudo, criou todas as coisas e governa todas elas. Fez o homem à sua imagem e semelhança. É o nosso único pai e o nosso único senhor. As consequências desses dogmas são o espiritualismo e a liberdade.

Deste antagonismo nas ideias concluíram despropositalmente a um antagonismo nas coisas. Fizeram do panteu um inimigo de Deus, como se o panteu existisse realmente algures a não ser no domínio do próprio Deus. Fazem da natureza um poder revoltado; chamaram Satã ao amor; deram à matéria um espírito que ela não podia ter e, pela lei fatal do equilíbrio, resultou daí que materializaram os dogmas religiosos. Desse conflito resultou um contrassenso ou talvez um mal-entendido imenso: é que reclamaram a liberdade do homem em nome da fatalidade que o prende e uma sujeição ao nome de Deus que é o único que pode e quer libertá-lo. A consequência dessa perversão de juízo é um incrível mal-estar e uma espécie de paralisia moral, porque em toda parte se veem obstáculos.

Confesso que entre Proudhon e Veuillot, nem mesmo tenho a menor vontade de escolher.

As religiões mortas jamais revivem e, como disse Jesus Cristo, não se põe o vinho novo em vasos velhos. Quando os ritos se tornam ineficazes, o sacerdócio desaparece. Porém, por meio de todas as transformações religiosas, foram conservados os ritos secretos da religião universal, e é na razão e no valor desses ritos que consiste ainda o grande segredo da franco-maçonaria.

Os símbolos maçônicos constituem, de fato, no seu conjunto, uma síntese religiosa que ainda fala ao sacerdócio católico romano. O conde José de Maistre o sentia instintivamente; e quando, no seu espanto de ver o mundo sem religião, aspirava a uma aliança próxima entre a ciência e a fé, voltava involuntariamente os olhos para as portas entreabertas do ocultismo.

Agora, o ocultismo maçônico não existe mais e as portas da iniciação estão completamente abertas. Tudo foi divulgado, tudo foi escrito. O Vigilante e os rituais maçônicos se vendem a quem quiser comprá-los. O Grande Oriente não tem mais mistérios ou, ao menos, não tem mais mistérios para os profanos do que para os iniciados; porém, os ritos maçônicos inquietam ainda a corte de Roma porque ela sente que há neles um poder que lhe escapa.

Esse poder é a liberdade de consciência humana, é a moral essencial, independente de cada culto. É o direito de não ser maldito nem votado à morte eterna, por dispensar a gente o ministério dos padres, ministério necessário somente para aqueles que sentem a sua necessidade, respeitável a todos quando se oferece sem impor-se, horrível quando abusam dele.

É pela maldição que a Igreja dá força aos seus inimigos. A excomunhão injusta é uma espécie de consagração. Jacques de Molay, na sua fogueira, era juiz do papa e do rei. Savonarola, queimado por Alexandre VI, era então o venerável vigário e o representante de Jesus Cristo, e, quando recusavam os sacramentos aos pretensos jansenistas, o diácono Paris fazia milagres.

Duas espécies de ritos podem, por conseguinte, ser eficazes na magia: os ritos sagrados e os ritos malditos, pois a maldição é uma consagração negativa. O exorcismo faz a possessão e a Igreja infalível cria, por assim dizer, o diabo quando empreende a sua expulsão.

A Igreja católica romana reproduz de um modo exato a imagem de Deus tal como a descreveram, como tanto gênio, os autores do "Siphra Dzeniutta", explicado pelo Rabi Schimeon e seus discípulos. Ela tem duas faces, uma de luz e outra de sombra e, para ela, a harmonia resulta da analogia dos contrários. A face de luz é a figura agradável e sorridente de Maria. A face de sombra é a careta do demônio. Ouso dizer francamente ao demônio o que penso da sua careta e nisto não creio ofender a Igreja, minha mãe. Contudo, se ela condenasse a minha temeridade, se uma decisão de um futuro concílio afirmasse que o diabo existe em pessoa, eu me submeteria em virtude dos meus próprios princípios. Disse que o verbo cria o que afirma; ora a Igreja é depositária da autoridade do verbo; quando ela afirma a existência não só real, mas pessoal, do diabo, este existirá pessoalmente, a Igreja romana o terá criado.

Todas as imagens milagrosas da Virgem têm a cor escura, porque a multidão gosta de olhar a religião pelo seu lado tenebroso. Dá-se com os dogmas como com os quadros poderosamente iluminados: se atenuardes as sombras, enfraquecereis as luzes.

A hierarquia das luzes, eis o que é preciso restabelecer na Igreja em lugar da hierarquia das influências temporais. Que a ciência seja dada ao clero, que o estudo aprofundado da natureza revele e dirija a exegese. Que os padres sejam homens maduros e experimentados nas lutas da vida. Que os bispos sejam superiores aos padres em sabedoria e virtude. Que o papa seja o mais instruído e sábio dos bispos, que os padres sejam eleitos pelo povo, os bispos pelos padres e o papa pelos bispos. Que haja para o sacerdócio uma iniciação progressiva. Que as ciências ocultas sejam estudadas pelos aspirantes ao santo ministério e principalmente esta grande Cabala judaica, que é a chave de todos os símbolos. Só então, a verdadeira religião universal será revelada e a catolicidade de todos os tempos e de todos os povos substituirá este catolicismo absurdo e odioso, inimigo do progresso e da liberdade, que luta ainda no mundo contra a verdade e a justiça, mas cujo reino passou para sempre.

Na Igreja atual, como no Judaísmo do tempo de Jesus Cristo, o joio se acha misturado com a boa semente e, com medo de arrancar o fermento, não ousamos tocar no joio.

A Igreja expia seus próprios anátemas; ela é maldita porque amaldiçoou. A espada que desembainhou, voltou-se contra ela, como predisse o mestre.

As maldições pertencem ao inferno e os anátemas são os atos do papado de Satã. É preciso remetê-los ao grimório de Honório. A verdadeira Igreja de Deus ora pelos pecadores e não procura amaldiçoá-los.

Censuram-se os pais que amaldiçoam seus filhos, porém nunca se pôde admitir que uma mãe tenha amaldiçoado os seus. Os ritos da excomunhão empregados nos tempos bárbaros eram os dos enfeitiçamentos, da magia negra, e o que o prova é que se cobriam as coisas sagradas e se apagavam todas as luzes como que para prestar homenagem às trevas. Então excitavam-se os povos à revolta contra os reis, pregavam-se a exterminação e o ódio, punham-se em interdito os reinos e aumentava-se por todos os meios possíveis a corrente magnética do mal. Esta corrente tornou-se um turbilhão que abala a cadeira de Pedro, porém a Igreja triunfará pela indulgência e o perdão. Um dia virá em que os últimos anátemas de um concílio ecumênico serão estes: – Maldita seja a maldição, que os anátemas sejam anátemas e que todos os homens sejam abençoados! – Então não veremos mais de um lado a humanidade e do outro a Igreja. Pois a Igreja abraçará a humanidade e quem quer que pertença à humanidade não poderá estar fora da Igreja.

Os dogmas dissidentes serão apenas considerados como ignorâncias. A caridade fará uma branda violência ao ódio e ficaremos unidos por todos os sentimentos de uma fraternidade sincera, mesmo com aqueles que quiserem separar-se de nós. A Religião terá então conquistado o mundo e os judeus, nossos pais e nossos irmãos, saudarão conosco o reino espiritual do

Messias. Tal será, na Terra, agora tão desolada e tão infeliz, a segunda vinda do Salvador, a manifestação da grande catolicidade e o triunfo do messianismo, nossa esperança e nossa fé!...

Capítulo VI

DA ADIVINHAÇÃO

Podemos adivinhar de duas maneiras: pela sagacidade ou pela segunda vista.

A segunda vista é uma intuição especial, semelhante à dos sonâmbulos lúcidos que leem o passado, o presente e o futuro na luz universal. Edgar Poe, sonâmbulo lúcido da embriaguez, fala, nos contos, de um certo Augusto Dupin, que adivinhava os pensamentos e descobria os mistérios dos negócios mais embaraçados por um sistema totalmente especial de observações e deduções.

Seria para desejar-se que os senhores juízes formadores de culpa fossem bem iniciados no sistema de Augusto Dupin.

Muitas vezes, certos indícios negligenciados como insignificantes levariam, se fossem tidos em conta, à descoberta da verdade. Esta verdade seria, às vezes, estranha, inesperada, inverossímil como no conto de Edgar Poe intitulado: **Duplo assassinato na Rua do Necrotério**. Que diriam, por exemplo, se um dia viéssemos a saber que o envenenamento do Sr. Lafarge não pode ser atribuído a ninguém, que a autora deste envenenamento era sonâmbula e que, impressionada por vagos temores (se era uma mulher), ia furtivamente, na falsa lucidez do seu sono, substituir, misturar arsênico, bicarbonato de soda e goma em pó até nas caixas de Maria Capelle, julgando, no seu sono, tornar impossível este envenenamento que talvez temia para seu filho.

Certamente fazemos aqui uma hipótese inadmissível após a condenação, mas que antes do julgamento talvez teria merecido ser examinada com cuidado, partindo desses dados:

1º) Que a senhora Lafarge mãe falava incessantemente de envenenamento e desconfiava da sua nora que, numa carta fatal, se tinha vangloriado de possuir arsênico;

2º) Que essa mesma senhora jamais se despia e até conservava o seu chalé para dormir;

3º) Que se ouviam, durante a noite, ruídos extraordinários neste casebre do Glandier;

4º) Que o arsênico estava espalhado por toda parte na casa, nos móveis, nas gavetas, nas fazendas, de um modo que exclui toda inteligência e toda razão;

5º) Que havia arsênico misturado numa caixa de goma em pó que Maria Capelle entregou à sua jovem amiga Ema Pontier, como contendo a goma de que se servia e de que misturava um pouco com as bebidas do Sr. Lafarge.

Essas circunstâncias singulares, sem dúvida, teriam despertado a sagacidade de Augusto Dupin e de Zadig, porém não produziram, certamente, nenhuma impressão sobre jurados e juízes mortalmente prevenidos contra a acusada, pela triste evidência do roubo dos diamantes. Ela foi, pois, condenada, porque a justiça sempre tem razão; porém é sabido com que energia a infeliz protestou até à morte e de que simpatias honrosas foi rodeada até os seus últimos momentos.

Um outro condenado, menos atraente, sem dúvida, protestou também diante da religião e da sociedade, no momento terrível da morte; foi o infeliz Leotadio, acusado de assassinato e defloramento de uma criança. Edgard Poe teria podido fazer desta história trágica um dos seus contos impressionantes; teria mudado os nomes das personagens, colocando a cena na Inglaterra ou na América, e eis o que teria feito dizer a Augusto Dupin:

A criança entrou na casa de educação e não a viram mais aparecer; o porteiro, que sempre fechava a porta com uma chave, ausentou-se apenas um minuto. À sua volta, a criança não estava mais lá, porém tinha deixado a porta entreaberta.

No dia seguinte, encontraram a infeliz pequena no cemitério, junto ao muro dos jardins do colégio. Estava morta parecia ter sido matada aos bofetões; seus ouvidos tinham sido despedaçados e trazia os sinais de um defloramento anormal: era uma dilaceração espantosa, não havendo, de resto, nenhum dos traços especiais que devia deixar o defloramento feito por um homem.

Aliás, não parecia ter caído neste lugar, mas ter sido levada para lá. Seus vestidos estavam arranjados embaixo e ao redor dela. Estavam enxutos, apesar de ter chovido a noite toda; deviam tê-la levado lá, dentro de um saco, pela manhã, quer pela porta, quer pela abertura da parede do cemitério. Seus vestidos estavam sujos de dejeções alvacentas, nas quais parece que a rolaram.

Eis o que devia ter-se passado. A menina, ao entrar na sala de visitas, tinha tido uma necessidade repentina. Para satisfazê-la, saiu pela porta que estava entreaberta; ninguém a viu e isso foi uma fatalidade.

Procurou, do lado do cemitério, um lugar escuro, onde foi surpreendida por alguma mulher má, cuja porta talvez tinham sujado várias vezes e que estava à espreita, jurando dar maus-tratos àquele ou àquela que surpreendesse.

Abre repentinamente a porta, cai de bofetões sobre a criança, cujo rosto magoou, arranca-lhe em parte as orelhas, rola-a nas suas dejeções, depois nota que a infeliz não se move mais. Queria somente castigá-la e matou-a!

Que fará ela do cadáver ou do que julga um cadáver, pois a pobre criança esbofeteada talvez apenas está sem sentidos? Oculta-a num saco, depois sai e ouve dizer que procuram uma pequena aprendiz que entrara no colégio e que não viram sair.

Uma ideia horrível se apodera dela: é preciso desviar a todo custo as desconfianças; é preciso que a vítima seja encontrada junto do muro do colégio e que um defloramento simulado torne impossível a ideia de atribuir o crime a uma mulher.

O defloramento é, pois, simulado por meio de bastão, e é, talvez, nesta última e atroz dor que a pobre desfalecida expira.

Vinda a noite, a megera leva o saco ao cemitério, cuja porta, mal fechada, sabe abrir, fazendo girar o trinco com uma faca. Tem o cuidado de apagar os rastos dos seus pés, retirando-se de recuo, e fecha cuidadosamente a porta.

Essa hipótese, continuaria Dupin, explica por si só todas as circunstâncias aparentemente inexplicáveis desta espantosa história.

De fato, se o despenseiro do colégio tivesse violado a jovem, teria procurado abafar seus gritos e não provocá-los, puxando-lhe violentamente as orelhas e ferindo-a com bofetadas. Se ela tivesse gritado, seus gritos de sofrimento teriam sido ouvidos, porque o paiol, designado como único lugar possível para o crime dentro da casa, é furado do lado que dá para o pátio de um quartel cheio de soldados e quase à altura da casinha do empregado.

Aliás, o acusado fora visto todo o dia a cuidar tranquilamente das funções do seu emprego. A sua ausência do lugar do crime à hora em que este se deu é até atestada pelos seus companheiros; porém, por causa de alguns desprezos e de certas evasivas, acusam-nos de cumplicidade ou ao menos de complacência; é, pois, provável que vai ser declarado culpado pelo tribunal de Filadélfia.

Tal era o que dizia Augusto Dupin no conto inédito de Edgar Poe que, sem dúvida, nos permitirá imaginar para expor a nossa hipótese, sem faltarmos aos deveres que nos impõe o respeito da coisa julgada.

Sabemos como, entre duas mães que disputavam a mesma criança, Salomão soube adivinhar, de um modo infalível, qual era a verdadeira mãe.

A observação da fisionomia, do andar, dos hábitos, também leva de um modo certo à adivinhação dos pensamentos secretos e do caráter dos homens.

Das formas da cabeça e da mão podemos tirar preciosas induções; porém, sempre é preciso ter em conta o livre-arbítrio do homem e os esforços que pode fazer com êxito para corrigir as tendências más da sua natureza.

Devemos saber também que um bom caráter pode depravar-se e que, muitas vezes, os melhores se tornam o piores quando se degradam e se corrompem voluntariamente. A ciência das grandes e infalíveis leis do equilíbrio pode também ajudar-nos a predizer o destino dos homens. Um homem nulo ou medíocre poderá chegar a tudo, porém jamais será qualquer coisa. Um homem apaixonado que se lança em excessos perecerá por estes mesmos excessos ou será fatalmente arrastado aos excessos contrários. O Cristianismo dos itilos e dos padres do deserto devia produzir-se após a devassidão de Tibério e de Heliogábalo. Na época do jansenismo, este mesmo Cristianismo terrível é uma loucura que ultraja a natureza e prepara as orgias da Regência e do Diretório. Os excessos da liberdade em 93 trouxeram o despotismo. O exagero de uma força vai sempre a favor da força contrária.

É assim que, na filosofia e na religião, as verdades exageradas se tornam as mais perigosas mentiras. Quando Jesus Cristo dizia, por exemplo, aos seus apóstolos: – "Quem vos ouve me ouve e quem me ouve também ouve aquele que me enviou", – estabelecia a hierarquia disciplinar e a unidade de ensino, atribuídas a este método divino, porque é natural uma infalibilidade relativa ao que ele ensinou e não dando, por isso, a nenhum tribunal eclesiástico o direito de condenar as descobertas de Galileu. Os exageros do princípio de infalibilidade dogmática e disciplinar produziram esta imensa catástrofe de fazer pegar a Igreja, por assim dizer, em flagrante delito de perseguição da verdade. Então os paradoxos responderam aos paradoxos. A Igreja parecia desconhecer os direitos da razão e os homens desconheceram os da fé. O espírito humano é um enfermo que anda com o auxílio de duas muletas: a ciência e a religião. A falsa filosofia tomou-lhe a religião e o fanatismo lhe arrancou a ciência; que pode ela fazer? Cair pesadamente e deixar-se arrastar como um aleijado entre as blasfêmias de Proudhon e as enormidades do Syllabus.

As raivas da incredulidade não têm a força suficiente para medir-se com os furores do fanatismo, porque são ridículas. O fanatismo é uma afirmação exagerada e a incredulidade uma negação também exagerada, porém muito ridiculamente. Que é, de fato, o exagero do nada? Muito menos que nada! Não vale a pena quebrar lanças por causa disso.

Assim, impotência e desânimo de um lado, persistência e invasão do outro, caímos sob a pressão pesada das crenças cegas e dos interesses que as exploram. O velho mundo, que julgavam morto, levanta-se de novo diante de nós e a revolução está para recomeçar.

Tudo isto podia ser escrito, tudo isto estava na lei do equilíbrio, tudo isto tinha sido predito e pode-se predizer facilmente o que acontecerá depois.

O espírito revolucionário agora agita e atormenta as nações que permaneceram católicas: a Itália, a Espanha e a Irlanda; e a reação católica, no sentido da exageração e do despotismo, paira sobre os povos cansados de revoluções. Durante este tempo, a Alemanha protestante engrandece e põe um poder formidável ao serviço da liberdade de consciência e da independência de pensamento.

A França põe sua espada voltaireana ao serviço da reação clerical e favorece assim o desenvolvimento do materialismo. A religião torna-se uma política e uma indústria as almas de elite separam-se dela e se refugiam na ciência, porém à força de esquadrinhar e analisar a matéria, a ciência acabará por encontrar a Deus e forçará a religião a voltar a si. As grosseiras teologias da idade média se tornarão tão evidentemente impossíveis, que até será ridículo combatê-las. Então a letra dará lugar ao espírito e a grande religião universal será reconhecida pelo mundo pela primeira vez.

Predizer este grande movimento não é uma adivinhação do futuro, porque já começou e os seus efeitos já se manifestam nas causas. Diariamente, as novas descobertas esclarecem os textos obscuros do Gênesis e dão razão aos velhos pais da Cabala. Camille Flammarion já nos mostrou Deus no Universo; já, desde há muito, estão reduzidas ao silêncio as vozes que condenaram Galileu; a natureza, desde há muito tão caluniada, se justifica, fazendo-se conhecer melhor, e a palhinha de Vanini sabe mais sobre a existência de Deus que todos os doutores da escola, e os blasfemadores de ontem são os profetas de amanhã.

Que criações tenham precedido a nossa, que os dias do Gênesis sejam períodos de anos ou mesmo séculos, que o sol parado por Josué seja uma imagem poética de ênfase oriental, que as coisas, evidentemente absurdas como história, se expliquem pela alegoria, isto em nada prejudica a majestade da Bíblia e de modo algum contradiz sua autoridade.

Tudo o que, neste livro sagrado, é dogma ou moral, pertence ao juízo da Igreja; porém tudo o que é arqueologia, cronologia, física, história, etc., pertence exclusivamente à ciência, cuja autoridade nestas matérias é absolutamente distinta, senão independente da autoridade da fé.

É o que já reconheceram, sem ousar dizê-lo claramente, os padres mais esclarecidos e têm razão de calar-se. Não devemos querer que os chefes da caravana andem com muita pressa de lançar-se para a frente; ficam logo sós e podem perecer na solidão, como aconteceu a Lamennais e tantos outros. É preciso saber bem o caminho do campo e estar pronto a voltar ao menor alarma, para não merecer ser considerado como imprudente, ao adiantar-se como explorador.

Quando o messianismo vier, isto é, quando o reino do Cristo se tiver realizado na Terra, a guerra cessará, porque a política não será a velhacaria do mais hábil ou a brutalidade do mais forte. Haverá verdadeiramente um direito internacional, porque o dever internacional será proclamado e reconhecido por todos e é então somente que, conforme a predição do Cristo, não haverá mais que um único pastor.

Se todas as seitas protestantes viessem a unir-se, ligando-se à ortodoxia grega, reconhecendo por papa o chefe espiritual, cuja sede seria em Constantinopla, haveria no mundo duas igrejas católicas romanas, pois Constantinopla foi e será ainda a nova Roma. Então o cisma só poderia ser passageiro. Um concílio verdadeiramente ecumênico, composto de deputados da cristandade inteira, terminaria a divergência como já o fizeram na época do concílio de Constança. E o mundo se espantaria de achar-se inteiramente católico; porém desta vez com a liberdade de consciência conquistada pelos protestantes e o direito à moral independente reivindicada pela filosofia, ninguém sendo mais obrigado sob penas legais a usar dos remédios da religião, mas também não tendo mais razoavelmente o poder de negar as grandezas da fé ou de insultar a ciência que serve de base à filosofia.

Eis aí o que a filosofia de sagacidade de que fala Paracelso nos faz ver claramente no futuro; e chegamos sem esforço a esta adivinhação por uma série de deduções que começam nos próprios fatos que se realizam à nossa vista.

Estas coisas sucederão cedo ou tarde e será a vitória da ordem; porém a marcha dos acontecimentos que as trarão poderá ser obstada por catástrofes sangrentas incessantemente preparadas e fomentadas pelo gênio revolucionário, inspirado quase sempre pela sede ardente da justiça, capaz de todos os heroísmos e devotamentos, porém sempre enganado, inutilizado e desordenado pelo magnetismo do mal.

Aliás, se devemos crer na tradição profética, a ordem perfeita não reinará na Terra antes do juízo final, isto é, antes da transformação e do renovamento do nosso planeta. Os homens imperfeitos ou decaídos são, na maioria, inimigos da verdade e incapazes de outra razão. As vaidades e cobiças os dividem e os dividirão sempre; e a justiça, no dizer dos videntes, desde os tempos apostólicos até agora, só reinará perfeitamente na Terra quando os maus, tendo sido convertidos ou suprimidos. Cristo, acompanhado pelos seus anjos e santos, descer do céu para reinar.

Existem causas que a sagacidade humana não poderia prever e que produzem acontecimentos imensos.

A invenção de uma nova arma muda o equilíbrio da Europa e o Sr. Thiers, o hábil homem sem princípios que crê que a política consiste em carregar os dados do acaso, se atrela ao lado de Veuillot no carro de Jagrenat, quero dizer do papado temporal. Previu Jesus tudo isto? Talvez sim, durante a sua agonia do jardim das Oliveiras e sem dúvida quando fez depois a São Pedro esta terrível predição: – Aquele que fere com a espada, perecerá pela espada.

Para restabelecer o papado verdadeiramente cristão no exercício legítimo do seu duplo poder, talvez será necessário que haja um papa mártir! O suplício suplica, disse o conde José de Maistre, e quando a terra é seca pelo sopro árido da irreligião, pede chuvas de sangue.

O sangue do culpado é purificado desde que corre, porque Jesus, ao ser suspenso à cruz, santificou todos os instrumentos de suplício; porém só o sangue do justo tem uma virtude expiatória.

O sangue de Luiz XVI e o de Elisabete pediam de antemão para que o de Robespierre não fosse desdenhado pela justiça suprema.

A adivinhação do futuro pela sagacidade e a indução pode chamar-se presciência. A que se faz pela segunda vista ou por intuição magnética não é mais que um pressentimento.

Pode-se exaltar a faculdade que permite pressentir produzindo em si mesmo uma espécie de hipnotismo por meio de alguns sinais convencionais ou arbitrários os quais mergulham o pensamento num meio sono. Esses sinais são tirados em sorte, porque então se pedem os oráculos da fatalidade antes que os da razão. É uma invocação da sombra, é um apelo à demência, é um sacrifício do pensamento lúcido à coisa sem nome que anda vagando durante a noite.

A adivinhação, como indica seu nome, é principalmente uma obra divina, e a perfeita presciência só pode ser atribuída a Deus. É por isso que os homens de Deus são naturalmente profetas. O homem justo e bom pensa e nos fala sem cessar, porém o tumulto das paixões nos impede de ouvir a sua voz.

Os justos, tendo acalmado a sua alma, ouvem sempre esta voz soberana e tranquila, seus pensamentos são como uma onda pura e calma, na qual o sol divino se reflete em todo o seu esplendor.

As almas dos santos são como sensitivas de pureza, estremecem ao menor contato profano e se desviam com horror de tudo o que é imundo. Têm olfato particular que lhes permite discernir e, por assim dizer, analisar as emanações das consciências. Sentem-se mal dispostas diante dos maus e tristes diante dos ímpios. Os maus têm para elas uma auréola escura que as repele, e as boas almas uma luz que atrai imediatamente seu coração. São Germano de Auxerre adivinhou assim Santa Genoveva. Assim, Postello encontrou nova juventude nas conversas da Madre Joana. Assim Fenelon compreendeu e amou a grande e paciente senhora Guyon.

O cura de Ars, o respeitável Sr. Vianney, penetrava nas provas dos que se dirigiam a ele e era impossível mentir-lhe com êxito. É sabido que interrogou severamente os pastorinhos de la Salette e lhes fez confessar que nada tinham visto de extraordinário e se tinham divertido em arranjar e amplificar um simples sonho. Existe também uma espécie de adivinhação que pertence ao entusiasmo e às grandes paixões exaltadas.

Estes poderes da alma parecem criar o que anunciam. É a elas que pertence a eficácia da prece; dizem: **Amen! Assim seja!** – e é como elas quiseram.

Capítulo VII

O PONTO EQUILIBRANTE

Todo poder mágico está no ponto central do equilíbrio universal.

A sabedoria equilibrante consiste nestes quatro verbos: saber a verdade, querer o bem, amar o belo e fazer o que é justo!, porque a verdade, o bem, o belo e o justo são inseparáveis de tal forma que aquele que sabe a verdade não pode deixar de querer o bem, amá-lo porque é belo e fazê-lo porque é justo.

O ponto central na ordem intelectual e moral é o traço de união entre a ciência e a fé. Na natureza do homem, esse ponto central é o meio no qual se unem a alma e o corpo para identificar sua ação.

Na ordem física, é a resultante das forças contrárias compensadas umas pelas outras.

Compreendei este traço de união, apoderai-vos deste meio, agi sobre esta resultante!

Et eritis sicut dii scientes bonum et malum.

O ponto equilibrante da vida e da morte é o grande arcano da imortalidade.

O ponto equilibrante do dia e da noite é a grande mola do movimento dos mundos.

O ponto equilibrante da ciência e da fé é o grande arcano da filosofia.

O ponto equilibrante entre a ordem e a liberdade é o grande arcano da política.

O ponto equilibrante do homem e da mulher é o grande arcano do amor.

O ponto equilibrante da vontade e da paixão, da ação e da reação, é o grande arcano do poder.

O grande arcano da alta magia, o arcano indizível, incomunicável outra coisa não é senão o ponto equilibrante do relativo e do absoluto. É o infinito do finito e o finito do infinito.

Aqui os que sabem compreenderão e os outros procurarão **adivinhar**.

Qui autem divinabunt divini erut.

O ponto equilibrante é a mônada essencial que constitui a divindade em Deus, a liberdade ou a individualidade no homem e a harmonia na natureza.

Em dinâmica, é o movimento perpétuo; em geometria, é a quadratura do círculo; e, em química, é a realização da grande obra.

Chegado a esse ponto, o anjo voa sem ter necessidade de asas e o homem pode o que deve razoavelmente querer.

Dissemos que se chega a ele pela sabedoria equilibrante que se resume em quatro verbos: – saber, querer, amar e praticar a verdade, o bem, o belo e o justo.

Todo homem é chamado a essa sabedoria porque Deus deu a todos uma inteligência para saber, uma vontade para querer, um coração para amar e um poder para agir.

O exercício da inteligência aplicada à verdade conduz à ciência.

O exercício da inteligência aplicada ao bem dá o sentimento do belo que produz a fé.

O que é falso deprava a sabedoria; o que é mau deprava o querer; o que é feio deprava o amor; o que é injusto anula e perverte a ação. O que é verdade deve ser belo. O que é belo deve ser verdade, o que é bom é sempre justo.

O mal, o falso, o feio e o injusto são incompatíveis com a verdade.

Creio na religião, porque é bela e porque ensina o bem. Acho que é justo crer nela, e não creio no diabo, porque é feio e nos leva ao mal, ensinando-nos a mentira.

Se me falarem de um Deus que desvia a nossa inteligência, abafa nossa razão e quer torturar para sempre suas criaturas mesmo culpadas, acho que este ideal é feio, que esta ficção é má, que este atormentador onipotente é soberanamente injusto; e concluo rigorosamente daí que tudo isto é falso, que este pretenso Deus é feito à imagem e semelhança do diabo, e não quero crer nele porque não creio em Satã.

Porém, aqui me encontro em aparente contradição comigo mesmo. O que declaro ser injustiças, fealdades e, por conseguinte, falsidades, provêm dos ensinamentos de uma Igreja de que faço profissão de admitir os dogmas e respeitar os símbolos.

Sim, sem dúvida, isto resulta dos seus ensinamentos mal compreendidos, e é por isso que apelamos da face de sombra para a cabeça de luz; da letra para o espírito, dos teólogos para os concílios; dos comentadores para os textos sagrados, aliás, prontos a sofrer uma legítima condenação, se tivermos dito o que era preciso calar. Seja bem entendido que não escrevemos para as profanas multidões, mas para os sábios de uma época posterior à nossa e para os pontífices do futuro.

Aqueles que forem capazes de saber a verdade também ousarão querer o bem; amarão então o belo e não tomarão os Veuillot como representantes do seu ideal e dos seus pensamentos. Desde que um papa assim disposto se sinta com a força de fazer unicamente o que é justo, não terá mais de dizer *non possumus*, porque fará tudo o que quiser e se tornará o monarca legítimo, não só de Roma, mas também do mundo.

Que importa que a barca de Pedro seja abalada pela tempestade? Não ensinou Jesus Cristo a este príncipe dos apóstolos como se anda sobre as ondas? Se este mergulha é porque tem medo e se tem medo é porque duvidou do seu divino mestre. A mão do Salvador se estenderá, o tomará e o conduzirá à praia. Homem de pouca fé, por que duvidaste?

Para um verdadeiro crente pode a Igreja ficar em perigo? O que periclita não é o edifício, são as construções híbridas com as quais sobrecarregaram a ignorância dos tempos.

Um bom padre nos contava, um dia, que, visitando um convento de carmelitas, lhe mostraram um velho manto que pertencera diziam, à santa fundadora da ordem e como se admirasse de achá-lo tão sujo, a religiosa que lho mostrava, exclamou juntando as mãos: "É a sujidade da nossa santa madre!" O padre pensou e nós pensamos com ele que teria sido mais respeitoso lavar o manto. A sujidade não pode ser uma relíquia; aliás, era preciso ir mais longe e daqui há pouco os cristãos, nas suas adorações estercorárias, nada mais teriam a censurar aos fetichistas do Grande Lama.

O que não é belo não é bem, o que não é bem não é justo, o que não é justo não é verdade.

Quando Voltaire, este amigo muito apaixonado da justiça, repetia seu grito de alarme: "Esmagai a infame!", crede vós que queria falar do Evangelho ou do seu adorável autor? Pretendia ele atacar a religião de São Vicente de Paula e de Fenelon? Não, sem dúvida, porém estava justamente indignado das inépcias, enormes tolices e perseguições ímpias de que as querelas do Jansenismo e do Molinismo enchiam a Igreja do seu tempo. A infame, para ele como para nós, era a impiedade e a pior de todas as impiedades: a religião desfigurada.

Por isso, quando fez a sua obra, quando a revolução proclamou, conforme o Evangelho e apesar das castas interessadas, a Liberdade perante a consciência, a igualdade perante a lei e a fraternidade dos homens, veio Chateaubriand que mostrou quanto a religião era bela perante o gênio, e o mundo de Voltaire, corrigido pela revolução, achou-se pronto a reconhecer ainda que a religião era verdadeira.

Sim, a bela religião é verdadeira e a religião feia é falsa. Sim, é verdadeira a religião do Cristo consolador, do bom pastor que traz nos ombros a ovelha desgarrada, da virgem imaculada, enfermeira e redentora dos pecadores; é verdadeira a religião que adota os órgãos, que abraça junto ao cadafalso os condenados, que admite à mesa de Deus o pobre como o rico, o servo junto ao senhor, o homem de cor junto ao branco. É verdadeira a religião que ordena ao sumo pontífice que seja o servo dos servos de Deus e aos bispos que lavem os pés dos mendigos! Porém, a religião dos vendeiros do santuário, a que força o sucessor de Pedro a matar para comer, a religião amarga e baixa de Veuillot, a religião dos inimigos da ciência e do progresso, esta é falsa porque é feia, porque se opõe ao bem e porque favorece a justiça. E que não nos digam que essas religiões opostas são a mesma. Era o mesmo que dizer que a ferrugem é a mesma coisa que o ferro polido, que as escórias são prata e ouro e que a lepra é a mesma coisa que a carne humana.

A necessidade religiosa existe no homem: é um fato incontestável que a ciência é forçada a admitir; a esta necessidade corresponde um sentido íntimo e particular: o sentido da eternidade e do infinito. Há emoções que nunca se esquecem uma vez sentidas: são as da piedade.

O brâmane as sente quando se perde na contemplação de Iswara, o israelita se enche delas em presença de Adonai, a fervente religiosa católica as espalha em lágrimas de amor sobre os pés do seu crucifixo, e não ides dizer-lhes que são ilusões e mentiras; sorririam de piedade e teriam razão. Completamente cheios dos raios do pensamento eterno, eles o veem e o sentimento que devem ter em presença dos que negam é o dos clarividentes diante do cego que negasse a existência do Sol.

A fé assim tem, pois, sua evidência e é esta uma verdade que é indispensável saber: o homem que não crê é incompleto, falta-lhe o primeiro de todos os sentidos interiores. A moral, para ele, será necessariamente restrita e se reduzirá a mui pouca coisa. A moral pode ser independente desta ou daquela fórmula dogmática, é independente das prescrições deste ou daquele padre, porém não poderia existir sem o sentimento religioso, porque, fora desse sentimento, a dignidade humana torna-se contestável ou arbitrária. Sem Deus, e sem a imortalidade da alma, que é o homem melhor, mais amante, mais fiel? É um cão que fala; e muitos acharão a moral do lobo mais independente e mais altiva que a do cão. Vede a fábula de La Fontaine.

A verdadeira moral independente é a do bom samaritano que trata das feridas do judeu, apesar dos ódios de que a religião é pretexto entre Jerusálém e Samaria; é Abd-el-Kader expondo sua vida para salvar os cristãos de Damasco. Ó venerável Pio IX, porque não vos foi dado, santíssimo Padre, expor a vossa para salvar os de Perusa, Castelfidardo e Mentana!!!

Jesus Cristo dizia, ao falar dos padres do seu tempo: – Fazei o que dizem, mas não fazei o que fazem. – Então, os padres disseram que era preciso crucificar Jesus Cristo e o crucificaram! Os padres escandalosos nas suas obras não poderiam, portanto, ser infalíveis nas suas palavras.

Aliás, o próprio Jesus Cristo não curava os doentes no dia de sábado, com grande escândalo dos fariseus e doutores?

A verdadeira moral independente é a que é inspirada pela religião independente.

Ora, a religião independente deve ser a dos homens: a outra é feita para as crianças.

Não poderíamos ter, em religião, um modelo mais perfeito que Jesus Cristo. Jesus praticava a religião de Moisés, porém não se escravizava a ela. Dizia que a lei é feita para o homem e não o homem para a lei; era rejeitado pela sinagoga e não deixava de frequentar o tempo, opunha em todas as coisas o espírito à letra, só recomendava aos seus discípulos a caridade. Morreu dando a absolvição a um culpado arrependido e recomendando sua mãe ao seu discípulo bem-amado, e os padres só assistiam à sua última hora para amaldiçoá-lo.

O ponto equilibrante em religião é a liberdade de consciência mais absoluta e à obediência voluntária à autoridade que regula o ensino público, a disciplina e o culto.

Em política, é o governo despótico da lei, garantindo a liberdade de todos na ordem hierárquica mais perfeita.

Em dinâmica, é o meio da balança.

Em Cabala, é o casamento dos Elohim.

Em Magia, é o ponto central entre a resistência e a ação, é o emprego simultâneo do **ob** e do **od** para a criação do *aur*.

No Hermetismo, é a aliança indissolúvel do mercúrio e do enxofre.

Em todas as coisas, é a aliança da verdade, do bem, do belo e do justo.

É a proporção do ente e da vida, é a eternidade no tempo e, na eternidade, é o poder gerador do tempo.

É alguma coisa do todo e o todo de alguma coisa.

É o idealismo do homem que encontra o realismo de Deus.

É a relação entre o começo e o fim, indicando o ômega do alfa e o alfa do ômega.

É, enfim, o que os grandes iniciados designaram sob o nome misterioso de **Azoth**.

Capítulo VIII

OS PONTOS EXTREMOS

A força dos ímãs está nos seus dois polos extremos e seu ponto equilibrante está no meio entre os dois polos.

A ação de um polo é equilibrada pela de um polo contrário como no movimento do pêndulo; o desvio da esquerda do ponto central está na razão do desvio da direita.

Essa lei do equilíbrio físico é também a do equilíbrio moral, as forças estão nas extremidades e convergem para o ponto central; entre as extremidades e o meio só encontramos a fraqueza.

Os fracos e os mornos são aqueles que se deixam levar pelo movimento dos outros e que são, por si mesmos, incapazes desse movimento.

Os extremos se assemelham e se tocam pela lei da analogia dos contrários.

Constituem o poder da luta porque não poderiam confundir-se.

Se, por exemplo, o frio e o quente vêm misturar-se, cessam de existir na sua especialidade de frio e quente e tornam-se tibieza.

– Que posso eu fazer por ti? – diz Alexandre a Diógenes. – Afasta-se do meu sol, responde o cínico. Então, o conquistador exclamou: – Se não fosse Alexandre, queria ser Diógenes. Eis aí dois orgulhos que se compreendem e se tocam, embora colocados nas duas extremidades da escala social.

Por que foi Jesus procurar a samaritana, quando havia tantas mulheres de bem na Judeia? Por que recebe ele as carícias e lágrimas de Madalena, que era uma pecadora pública? Por quê? Ele próprio vo-lo diz: porque ela amou muito. Não esconde sua preferência pelas pessoas de má fama, como os publicanos e pelos filhos pródigos. Ao ouvi-lo falar, compreende-se que uma só lágrima de Caim seria mais preciosa à sua vista que todo o sangue de Abel.

Os santos tinham o costume de dizer que se consideravam iguais aos mais horríveis celerados e tinham razão. Os celerados e os santos são iguais como os pratos opostos de uma mesma balança. Uns e outros se apoiam nos pontos extremos e há tanta distância entre um celerado e um sábio como entre um sábio e um celerado.

São as exagerações da vida que, combatendo-se mutuamente sem cessar, produzem o movimento equilibrado pela vida. Se o antagonismo cessasse na manifestação das forças, tudo pararia num equilíbrio imóvel e isto seria a morte universal. Se todos os homens fossem sábios, não havia mais ricos, nem pobres, servos, reis, vassalos; a sociedade logo não existiria mais. Este mundo é uma casa de loucos de que os sábios são os enfermeiros; porém um hospital é feito sobretudo para os doentes. É uma escola de preparação para a vida eterna; ora, o que é preciso a uma escola são, primeiramente, alunos. A sabedoria é o fim a alcançar, é o prêmio posto em concurso. Deus dá a quem a merece, ninguém a traz ao nascer. O poder equilibrante está no ponto central, porém o poder motor se manifesta sempre nas extremidades. São os loucos que iniciam as revoluções; são os sábios que a terminam.

Nas revoluções políticas, dizia Danton, o poder pertence sempre ao mais celerado. Nas revoluções religiosas, são os mais fanáticos que arrastam necessariamente os outros. É que os grandes santos e os grandes celerados são todos igualmente poderosos magnetizadores, por terem vontades exaltadas por atos contra a natureza. Marat * fascinava a Convenção, onde todos o odiavam e lhe obedeciam, amaldiçoando-o. Mandrin ** ousava, em pleno dia, atravessar e saquear as cidades e ninguém ousava persegui-lo. Julgavam-no mágico! Estavam persuadidos de que, se o levassem à força, faria como Polichinelo e enforcaria em seu lugar o algoz; ora, provavelmente é o que teria feito, se não tivesse arriscado todo o seu prestígio numa aventura amorosa e não se tivesse deixado prender como outro Sansão aos pés de Dalila.

O amor das mulheres é a vitória da natureza. É a glória dos sábios; porém, para os salteadores e os santos é o mais pernicioso dos escolhos.

Os salteadores só devem ser apaixonados pela guilhotina, que Lacenaire chamava sua bela noiva e os santos, só devem beijar a cabeça dos defuntos.

Os celerados e os santos são homens igualmente excessivos e inimigos da natureza. Por isso, a lenda popular parece, muitas vezes, confundi-los, atribuindo aos santos atos de monstruosa crueldade e aos salteadores atos de filantropia.

São Simão Styllita, na sua coluna, é visitado por sua mãe que quer abraçá-lo antes de morrer. O asceta cristão não só não desce, mas também esconde o rosto para não vê-la. A pobre mulher extingue-se em lágrimas, chamando a seu filho e o santo a deixa morrer. Se nos contassem semelhante coisa de Cartouche ou de Schinderhannes, acharíamos que sobrecarregam propositalmente

---

* Jean-Paul Marat (1743-1793) médico, filósofo, teórico político e cientista, que se tornou mais conhecido como um radical jornalista durante a Revolução Francesa. (N. do E.)

** Louis Mandrin, (1725-1755), famoso contrabandista francês conhecido como o Robin Hood da França. (N. do. E.)

o quadro dos seus crimes. É verdade que Cartouche e Schinderhannes não eram santos: eram simples bandidos.

Oh! tolice humana!!! As desordens na ordem moral produzem desordens na ordem física e é o que o vulgo chama milagres. É preciso ser Balaam para ouvir falar uma jumenta: a imaginação dos tolos é a nutridora dos prodígios. Quando um homem bebeu com excesso, crê que os outros titubeiam e que a natureza se desvia para deixá-lo passar.

Portanto, vós que procurais o extraordinário, vós que quereis fazer prodígios, sede pessoas extravagantes. A sabedoria nunca é notada porque sempre está na ordem, na calma, na harmonia e na paz.

Todos os vícios têm seus imortais que, à força de excessos, ilustram sua infâmia. O orgulho é Alexandre, se não for Diógenes ou Erostratos; a cólera é Aquiles; a inveja é Caim ou Tersita; a luxúria é Messalina; a gula, Vitéllio; a preguiça, Sardanápalo; a avareza, o rei Midas. Oponde a esses heróis ridículos outros heróis que, por meios contrários, chegam exatamente aos mesmos fins. S. Francisco, o Diógenes cristão que, à força de humildade, se faz passar por igual a Jesus Cristo; S. Gregório VII, cujos transportes desconcertou a Europa e comprometeu o papado; S. Bernardo, o lívido perseguidor de Abelardo, cuja glória eclipsava a sua; São Antônio, cuja imaginação impura ultrapassava as orgias de Tibério ou de Trimalcyon; os esfomeados do deserto, sempre entregues aos sonhos famintos de Tântalo, e estes pobres monges, sempre tão ávidos de dinheiro. Os extremos se tocam, como dissemos, e o que não é sabedoria não pode ser virtude. Os pontos extremos são os focos da loucura e, apesar de todos os sonhos de ascetismo e os odores de santidade, a loucura, enfim, trabalha sempre para o vício.

Voluntárias ou involuntárias, as evocações são crimes. Os homens, que o magnetismo do mal atormenta e aos quais aparece sob formas visíveis, trazem o castigo dos ultrajes que fizeram à natureza. Uma religiosa histérica não é menos impura que uma mulher depravada: uma vive num túmulo e a outra num lupanar; mas, geralmente a mulher do túmulo traz no coração um lupanar e a mulher do lupanar esconde, no seu peito, um túmulo.

Quando o infeliz Urbano Grandier, expiando cruelmente o erro dos seus votos temerários, amaldiçoado como pretenso feiticeiro e desprezado como padre libertino, caminhava para a morte com a resignação de um sábio e a paciência de um mártir, as piedosas freiras ursulinas de Loudun, estorcendo-se como bacantes e colocando o crucifixo entre os pés, abandonavam-se às demonstrações mais sacrílegas e mais obscenas. Lastimavam-nas, a estas inocentes vítimas! E Grandier, despedaçado pela tortura e preso ao seu pelourinho em que as chamas o devoravam lentamente, sem que uma queixa saísse da sua boca, era considerado como o seu algoz.

Coisa incrível! Eram religiosas que representavam o princípio do mal, que o realizavam, que o encarnavam em si mesmas; eram elas que blasfemavam, que injuriavam, que acusavam, e era o objeto da sua paixão sacrílega que era enviado à morte! Elas e seus exorcistas tinham evocado todo o inferno e Grandier, que nem mesmo podia fazê-las calar, era condenado como feiticeiro e senhor dos demônios.

O célebre cura de Ars, o sábio Sr. Vianney, era, no dizer dos seus biógrafos, perseguido pelo demônio, que vivia com ele numa espécie de familiaridade. O bom cura era, assim, feiticeiro sem o saber; fazia invocações involuntárias. Como isso? Um colóquio que lhe atribuem vai no-lo explicar. Teria dito, ao falar de si mesmo: "Conheço alguém que ficaria bem logrado, se não existissem recompensas eternas!" Como? Teria ele, então, cessado de fazer o bem, se não tivesse mais esperado recompensa? Queixava-se a natureza no fundo da sua consciência? Sentia-se ele injusto para com ela?

Não traz a vida de um verdadeiro sábio sua recompensa em si mesma? Não começa para ele, nesta terra, a eternidade feliz? É então a verdadeira sabedoria um papel de ludíbrio? Bravo homem, se dissestes isto é que sentíeis exageração no vosso zelo. É que o vosso coração tinha a lastimar honestos gozos perdidos. É que a mãe natureza se queixava de vós como de um filho ingrato. Felizes dos corações aos quais a natureza nada reprova! Felizes dos olhos que procuram a beleza em toda parte! Felizes das mãos que, em toda parte, sabem espalhar sempre os benefícios e as carícias! Felizes dos homens que, tendo de escolher entre dois vinhos, preferem o melhor e são quase sempre mais felizes de oferecê-lo aos outros que de bebê-lo! Felizes dos rostos graciosos cujos lábios estão cheios de sorrisos e de beijos! Estes nunca serão ludibriados, porque, depois da esperança de amar, o que há de melhor no mundo é a lembrança de ter amado; e só essas coisas, cuja recordação pode ser sempre uma felicidade, merecem ser imortais!

Capítulo IX

O MOVIMENTO PERPÉTUO

O movimento perpétuo é a lei eterna da vida.

Em toda parte se manifesta, como a respiração no homem, por atração e repulsão.

Toda ação provoca uma reação, toda reação é proporcional à ação.

Uma ação harmoniosa produz sua correspondente em harmonia. Uma ação discordante necessita de uma reação em aparência desordenada; porém, na realidade, equilibrante.

Se opuserdes a violência à violência, perpetuais a violência; porém, se à violência opuserdes a força da brandura, fazeis triunfar a brandura e destruís a violência.

Há séries de verdades que parecem opostas umas às outras, porque o movimento perpétuo as faz triunfar cada qual por sua vez.

O dia existe e a noite também existe; eles existem simultaneamente, porém não no mesmo hemisfério.

Há sombra no dia, há clarões na noite, e a sombra, no dia, torna mais patente o dia, como os clarões, na noite, fazem a noite parecer mais escura.

O dia visível e a noite visível só existem assim para os olhos. A luz eterna é invisível aos olhos mortais e enche a imensidade. O dia das almas é a verdade e a noite para elas é a mentira.

Toda verdade supõe e necessita de uma mentira por causa do limite das formas e toda mentira supõe e necessita de uma verdade nas retificações do finito pelo infinito.

Toda mentira contém uma certa verdade que é a precisão da forma e toda verdade está para nós envolta numa certa mentira que é o finito da sua aparência.

Assim, é verdade ou somente provável que exista um imenso indivíduo ou três indivíduos que fazem apenas um, o qual é invisível e recompensa os que o servem deixando-se ver por eles, está presente em toda parte, até no inferno, onde tortura os condenados privando-os da sua presença, quer a salvação de todos e dá sua graça eficaz a um pequeníssimo número, impõe uma lei terrível, permitindo tudo o que pode tornar duvidosa a sua promulgação. Existe semelhante Deus? Não, não e certamente não. A existência de Deus, afirmada sob esta forma, é uma verdade disfarçada e completamente envolta em mentiras.

Devemos reconhecer que tudo existiu e existirá, que a substância eterna basta para si mesma, estando determinada à forma pelo movimento perpétuo, que assim tudo é força e matéria, que a alma não existe, o pensamento sendo apenas o trabalho do cérebro e Deus não sendo mais que a fatalidade do ente? Não, certamente, porque esta negação absoluta da inteligência repugnaria até aos instintos dos animais. É evidente que a afirmação contrária necessita da crença em Deus.

Manifestou-se este Deus fora da natureza e pessoalmente aos homens, impondo-lhes ideias contrárias à natureza ou à razão?

Não, certamente, porque o fato desta revelação, se existisse, seria, evidente para todos: e, além disso, embora o fato de uma manifestação exterior proveniente de um ente desconhecido fosse de uma incontestável realidade, se este ente se mostrou em contradição com a razão e a natureza que vêm de Deus, não poderia ser Deus. Moisés, Maomé, o papa e o grande Lama dizem que Deus falou a cada um deles à exclusão dos outros e disse a cada qual que os outros eram mentirosos.

– Mas, então, são todos mentirosos?

– Não, enganam-se quando se dividem e dizem a verdade quando concordam.

– Porém, falou-lhes Deus ou não? Deus não tem boca nem língua para falar à maneira dos homens. Se fala é nas consciências e todos nós podemos ouvir sua voz.

É ele que aprova em nossos corações a palavra de Jesus, a de Moisés quando é sábia e a de Maomé quando é bela. Deus não está longe de cada um de nós, diz São Paulo, pois é nele que vivemos, nos movemos e estamos.

Felizes dos corações puros, disse o Cristo, porque verão a Deus. Ora, ver a Deus, que é invisível, é senti-lo na sua consciência, é ouvi-lo falar no seu coração.

O Deus de Hermes, Pitágoras, Orfeu, Sócrates, Moisés e Jesus Cristo é um único e mesmo Deus e falou a todos. Cleanto de Lycos era inspirado como Davi e a lenda de Krishna é tão bela como o Evangelho de São Mateus. Há admiráveis páginas no Alcorão; porém, na teologia de todos os cultos, há outras que são estúpidas e horrorosas.

O Deus da Cabala, de Moisés e Jó, o Deus de Jesus Cristo, Orígenes e Sinésio não pode ser o dos autos de fé.

Os mistérios do Cristianismo como os entendem São João Evangelista e os sábios padres da Igreja são sublimes; porém os mesmos mistérios explicados ou antes tornados inexplicáveis pelos Garassus, Escobar e Veuillot são ridículos e imundos. O culto católico é esplêndido ou piedoso, conforme os padres e templos.

Assim, podemos dizer com igual verdade que o dogma é verdadeiro e falso, que Deus falou e não falou, que a Igreja é infalível e se engana todos os dias, que ela destrói a escravidão e conspira contra a liberdade, que eleva o homem e o embrutece.

Podemos encontrar admiráveis crentes entre aqueles a que ela chama de ateus e ateus entre aqueles que passam para ela como crentes. Como sair de tais contradições flagrantes? Lembrando-nos que há sombras no dia e clarões na noite, não nos esquecendo de colher o bem que muitas vezes se acha no mal e guardando-nos do mal que pode misturar-se com o bem.

O papa Pio IX deu, sob o nome de **Syllabus,** uma série de proposições que condena e cuja maioria parece ser incontestavelmente verdadeira no ponto de vista da ciência e da razão. Contudo, cada uma dessas proposições contém e encobre um sentido falso que é legitimamente condenado. Devemos, por isso, renunciar ao sentido verdadeiro e natural que apresentam à primeira vista? Quando a autoridade joga o esconde-esconde, procure-a quem quiser, pois, por nossa parte, basta-nos reconhecê-lo quando se mostra.

O inteligente bispo de Orleans, o belicoso Sr. Dupanloup, provou, opondo o papa a si mesmo, que o **Syllabus** não significa e não poderia significar o que parece dizer. Se for um logogrifo, vamos adiante, pois não somos iniciados nas profundezas da corte de Roma.

Quão grandes verdades estão escondidas sob fórmulas dogmáticas obscuras em aparência até o ridículo mais completo? Querem exemplos? Se contassem a um filósofo chinês que os europeus adoram como sendo o Deus supremo dos universos um judeu morto pelo último suplício e que pensam ressuscitar todos os dias este judeu que comem em carne e osso sob a forma de um pãozinho, o discípulo de Confúcio não teria alguma dificuldade a crer capaz destas enormidades povos que, aos seus olhos, é verdade, são bárbaros, mas enfim não são completamente selvagens; e se acrescentarmos que este judeu nasceu pela incubação de um espírito, cuja forma é a de um pombo, e que é o mesmo Deus que o judeu, de uma mulher que antes e durante o parto, tinha ficado material e fisicamente virgem, crede vós que o seu espanto e seu desprezo não iria até ao desgosto? Porém, se retendo-o pela manga, lhe gritássemos aos ouvidos que o judeu Deus veio ao mundo para morrer pelos tormentos, a fim de aplacar seu pai, o Deus dos judeus que achava que não era bastante judeu e que, na ocasião da morte do seu filho, aboliu o Judaísmo que ele próprio tinha jurado que devia ser eterno, não ficaria ele em verdadeira cólera?

Todo dogma, para ser verdadeiro, deve ocultar sob uma fórmula enigmática um sentido eminentemente razoável. Deve ter duas faces como a cabeça divina do Zohar: uma de luz e outra de sombra.

Se o dogma cristão, explicado no seu espírito, não fosse aceitável para um israelita piedoso e esclarecido, era preciso dizer que este dogma é falso e a sua razão é simples: é que, na época em que o Cristianismo se originou no mundo, o Judaísmo era a verdadeira religião e que o próprio Deus rejeitava, devia rejeitar e deve rejeitar sempre o que esta religião não admitia.

É, pois, impossível que possamos adorar um homem ou uma coisa qualquer. Devemos estar presos, antes de tudo, ao Teísmo puro e ao espiritualismo de Moisés. A nossa comunicação dos idiomas não é uma confusão da natureza; adoramos Deus em Jesus Cristo e não Jesus Cristo em lugar de Deus. Acreditamos que Deus se revela na própria humanidade, que está em todos nós com o espírito do Salvador e isso, certamente, nada tem de absurdo.

Acreditamos que o espírito do Salvador é o espírito de caridade, o espírito de piedade, o espírito de inteligência, o espírito de ciência e de bom conselho, e, em tudo isso, nada vejo que se assemelhe ao fanatismo cego. Os nossos dogmas da Encarnação, da Trindade e da Redenção são tão antigos como o mundo e até provêm desta doutrina oculta que o mosaísmo reservava para os seus doutores e seus padres. A árvore das Sephiroth é uma exposição admirável do mistério da Trindade. A queda do grande Adão, esta concepção gigantesca de toda a humanidade decaída, exigirá um reparador não menos imenso que deverá ser o Messias, porém se manifestará com a brandura da criancinha que brinca com os leões e chama a si os pombinhos. O Cristianismo, bem compreendido, é o mais perfeito Judaísmo, menos a circuncisão e a servidão rabínica, mas a fé e a caridade, numa admirável comunhão.

Está bem averiguado hoje pelas pessoas instruídas que os sábios egípcios não adoravam nem os cães, nem os gatos, nem os legumes. O dogma secreto dos iniciados era precisamente o de Moisés e o de Orfeu. Um só Deus universal, imutável como a lei, fecundo como a vida, revelado em toda a natureza, pensando em todas as inteligências, amando em todos os corações, causa e princípio do ente e dos entes, sem confundir-se com eles, invisível, inconcebível, porém existindo com certeza porque nada poderia existir sem ele.

Não podendo vê-lo, sonharam-no os homens e a diversidade dos deuses não é mais que a diversidade dos seus sonhos.

Se não sonhas como eu, serás eternamente reprovado, dizem uns aos outros os padres dos diferentes cultos. Não raciocinemos como eles; esperemos a hora do despertamento.

Sob o título que Michelet já lançou à publicidade, podia-se fazer um belíssimo livro. Seria uma concordância da Bíblia, dos Purânas, dos Vedas, dos livros de Hermes, dos Hinos Homéricos, das máximas de Confúcio, do Alcorão de Maomé e até dos Eddas dos escandinavos.

Essa compilação, cujo resultado seria certamente católico, poderia chamar-se legitimamente a Bíblia da Humanidade; em vez de fazer tal trabalho, este velho, muito galante e atraente, indicou-o somente e esboçou ligeiramente o seu prefácio.

A religião, na sua essência, nunca mudou, porém, em cada idade, como cada nação, tem seus preconceitos e seus erros. Durante os primeiros séculos do Cristianismo, cuidavam que o mundo ia acabar e desprezavam tudo o que embelezava a vida. As ciências, as artes, o patriotismo, o amor da família, tudo caía no esquecimento diante dos sonhos do céu. Uns corriam ao martírio, outros ao deserto, e o império caía em ruínas.

Depois veio a loucura das disputas teológicas e os cristãos se degolavam mutuamente por causa de palavras que não entendiam. Na Idade Média, a simplicidade dos Evangelhos deu lugar às argúcias da escola e as superstições pululavam. Na Renascença, o materialismo reapareceu, o grande princípio da unidade foi desconhecido e o protestantismo semeou no mundo igrejas de fantasia. Os católicos foram sem misericórdia e os protestantes foram implacáveis.

Em seguida, veio o sombrio Jansenismo, com seus dogmas espantosos, o Deus que salva e condena por capricho, o culto da tristeza e da morte. A Revolução impôs a liberdade pelo terror, a igualdade a golpes de machado e a fraternidade pelo sangue. Seguiu-se uma reação covarde e pérfida. Os interesses ameaçados tomaram a máscara da religião e o cofre fez aliança com a cruz. É ainda aqui que estamos. Os anjos da guarda do Santuário são substituídos por zuavos e o reino de Deus, que sofre violência no céu, resiste à violência na Terra, não mais com desprendimento e preces, porém com dinheiro e baionetas. Judeus e protestantes aumentam o dinheiro de São Pedro. A religião não é mais uma coisa de fé: é uma questão de partido.

É evidente que o Cristianismo ainda não foi compreendido e que, enfim, reclama seu lugar; é por isso que tudo cai e tudo cairá enquanto não ficar estabelecido em toda a sua verdade e em todo o seu poder para fixar o equilíbrio do mundo.

As agitações que atravessamos não têm, portanto, nada que perturbe; elas são o resultado do movimento perpétuo que derriba tudo o que os homens querem opor às leis da sua eterna balança.

As leis que governam o mundo regem também os destinos de todos os indivíduos humanos: o homem nasceu para o descanso, porém não para a ociosidade. O descanso para ele é a consciência do seu próprio equilíbrio, porém não pode renunciar ao movimento perpétuo porque o movimento é a vida. É preciso obedecê-lo ou dirigi-lo. Quando o obedecemos, ele nos destrói; quando o dirigimos, ele nos regenera. Deve haver equilíbrio e não antagonismo entre o espírito e o corpo. As sedes insaciáveis da alma são tão funestas como os apetites desregrados da carne. A concupiscência, longe de acalmar, irrita-se pelas privações insensatas. Os sofrimentos do corpo tornam triste e impotente a alma e ela só é verdadeiramente rainha quando os órgãos, seus súditos, estão perfeitamente livres e apaziguados.

Há equilíbrio e não antagonismo entre a graça e a natureza, porque a graça é a direção que o próprio Deus dá à natureza. É pela graça do Altíssimo que as primaveras florescem, que os verões produzem as espigas e os outonos as uvas. Por que, pois, desprezaremos as flores que encantam os nossos sentidos, o pão que nos sustenta e o vinho que nos fortifica? O Cristo nos ensina a pedir a Deus o pão de cada dia. Peçamos-lhe também as rosas de cada primavera e as sombras de cada verão. Peçamos-lhe, para cada coração ao menos, uma verdadeira amizade e, para cada existência, um honesto e sincero amor.

Há equilíbrio e nunca deve haver antagonismo entre o homem e a mulher. A lei de união entre eles é o devotamento mútuo. A mulher deve cativar o homem pela atração, e o homem emancipar a mulher pela inteligência. É este o equilíbrio inteligente fora do qual cai-se no egoísmo fatal.

Ao aniquilamento da mulher pelo homem corresponde o aviltamento do homem pela mulher. Fazeis da mulher uma coisa que se compra, ela se encarece e vos arruína. Fazeis dela uma criatura de carne e lama, ela vos corrompe e vos suja.

Há equilíbrio e não poderia haver antagonismo real entre a ordem e a liberdade, entre a obediência e a dignidade humana.

Ninguém tem direito ao poder despótico e arbitrário. Não ninguém, nem mesmo Deus. Ninguém é senhor absoluto de outrem. Nem mesmo o pastor é, assim, o senhor do seu cão. A lei do mundo inteligente é a tutela; aqueles que devem obedecer só obedecem para seu bem; dirige-se a sua vontade sem subjugá-la; pode-se comprometer sua vontade, porém não aniquilá-la.

Ser rei é devotar-se para proteger os direitos do rei contra os do povo e, quanto mais poderoso é o rei, tanto mais verdadeiramente livre é o povo. Porque a liberdade sem disciplina e sem proteção é a pior das servidões. Torna-se então a anarquia que é a tirania de todos no conflito das facções. A verdadeira liberdade social é o absolutismo da justiça.

A vida do homem é alternada; vigia e dorme alternativamente mergulhado pelo sono na vida coletiva e universal; sonha com sua existência pessoal, sem ter consciência do tempo e do espaço. Tendo entrado na vida individual e responsável, no estado de vigília, sonha com sua existência coletiva e eterna. O sonho é o clarão na noite. A fé nos mistérios religiosos é a sombra que aparece no fundo do dia.

A eternidade do homem é provavelmente alternada como sua vida e deve compor-se de vigílias e de sonos. Sonha quando crê viver no império da morte, vigia quando continua sua imortalidade e se lembra dos seus sonhos.

Deus, diz o Gênesis, enviou o sono para Adão e, enquanto este dormia, tirou dele a Chavah a fim de dar-lhe uma auxiliar semelhante a ele – e Adão exclamou: "Esta é a carne da minha carne e os ossos dos meus ossos".

Não nos esqueçamos de que, no capítulo precedente, o autor do livro sagrado declara que Adão tinha sido criado macho e fêmea, o que exprime muito claramente que Adão não é um indivíduo isolado, mas é tomado pela humanidade inteira. Que é então esta Chavah ou Hevah que sai dele durante o seu sono para lhe servir de auxiliar e que deve, mais tarde, levá-lo à morte? Não é a mesma coisa que a Maya dos indianos, o recipiente corpóreo, a forma terrestre que é a auxiliar e como que a forma do espírito, porém que se separa dele, de onde ele se desperta, e que chamamos a morte?

Quando o espírito adormece após um dia da vida universal, faz por si mesmo sua **Chavah**; lança ao redor de si sua crisálida e suas existências no tempo são, para ele, apenas sonhos que o descansam dos trabalhos da sua eternidade.

Sobe, assim, pela escada dos mundos, durante o seu sono somente, gozando durante toda a sua eternidade de tudo o que adquire de conhecimentos e de força nova nos seus ajuntamentos com a Maya de que deve servir-se, sem jamais tornar-se dela escravo. Porque a Maya triunfante lançaria na sua alma um véu que o despertamento não mais rasgaria e, por ter acariciado o pesadelo, ele estaria exposto a despertar-se louco, o que é o verdadeiro mistério da vida eterna.

Quais entes são mais merecedores de lástima que os loucos? Todavia, a maior parte deles não sente sua espantosa infelicidade. Swedenborg* ousou dizer uma coisa que, por ser perigosa, não nos parece menos tocante. Diz que os réprobos tomam os horrores do inferno por belezas, suas trevas por luzes e seus tormentos por prazeres. São como estes supliciados do Oriente aos quais embriagam com narcóticos antes de entregá-los aos algozes.

Deus não pode impedir a pena de atingir os violadores da sua lei, porém acha que já é muito a morte eterna e não quer acrescentar-lhe a dor. Não podendo desviar o chicote das fúrias, torna insensíveis os infelizes que elas vão castigar.

---

* Emanuel Swedenborg (1688-1772) polímata, cientista, inventor, mítico e espiritualista sueco. (N. do E.)

Não podemos admitir esta ideia de Swedenborg, porque só acreditamos na vida eterna. Esses condenados idiotas e alucinados, deleitando-se nas sombras infectas e colhendo cogumelos venenosos que tomam por flores, parecem-nos inutilmente punidos porque não têm consciência do seu castigo.

Esse inferno, que seria um hospital de corrompidos, é menos belo que o de Dante, abismo circular que se torna mais estreito à medida que se desce e que acaba, atrás das três cabeças da serpente simbólica, por um caminho estreito de onde basta voltar para subir à luz.

A vida eterna é o movimento perpétuo e, para nós, a eternidade não pode ser mais que a infinidade do tempo.

Suponde que toda felicidade do céu consiste em dizer **Aleluia**, com uma palma na mão e uma coroa na cabeça, e que, depois de cinco milhões de aleluias, se terá sempre de recomeçar (espantosa felicidade), mas, enfim, a cada aleluia, poder-se-á dar um número; haverá um na frente, outro depois; haverá sucessão, haverá duração, enfim será o tempo, será o tempo porque isto começará.

A eternidade não tem começo nem fim.

Uma coisa é certa: é que nada absolutamente sabemos dos mistérios da outra vida; porém é certo, também, que nenhum de nós se lembra de ter começado e que a ideia de não mais existir revolta em nós tanto o sentimento como a razão.

Jesus Cristo diz que os justos irão ao céu e chama o céu a casa de seu pai; afirma que nessa casa há numerosos compartimentos, e esses compartimentos são evidentemente as estrelas. A ideia ou, se quiserdes, a hipótese das existências renovadas nos astros não se afasta, pois, da doutrina de Jesus Cristo. A vida dos sonhos é essencialmente distinta da vida real, ela tem suas paisagens, seus amigos e suas recordações; possuímos nela faculdades que certamente pertencem a outras formas e outros mundos.

Nela revemos entes amados que jamais foram conhecidos nesta terra; nela encontramos vivos os que morreram, sustemo-nos no ar, andamos sobre a água, como pode dar-se nos meios em que o peso dos corpos é menor, nela se falam línguas desconhecidas e encontram-se entes bizarramente organizados; aí tudo é cheio de reminiscências que não se referem a este mundo. Não seriam elas vagas recordações das nossas existências precedentes?

Será só o cérebro que produz os sonhos? Porém, se ele os produz, quem, pois, os inventa? Muitas vezes nos espantam e nos fatigam. Qual é o Callot ou o Goya que compõe os pesadelos?

Muitas vezes, parece-nos que cometemos crimes, em sonho, e somos felizes de nada ter a nos reprovar quando vem a hora do despertar. Seria o mesmo para as nossas existências veladas, para os nossos sonos sob uma coberta de carne? Nero, despertando-se em sobressalto, poderia exclamar: "Louvado seja Deus! Não fiz assassinar minha mãe?" E tê-la-ia encontrado viva e sorridente junto a si, pronta a contar-lhe, por sua vez, seus crimes imaginários e seus maus sonhos.

A vida presente parece, muitas vezes, um sonho monstruoso e não é mais razoável que as visões do sono; outras vezes, vemos nela o que não devia existir, e o que devia existir não existe. Parece-nos, às vezes, que a natureza faz extravagâncias e que a razão se debate sob um Efialtes espantoso. As coisas que se passam nesta vida de ilusões e de vãs esperanças são, certamente, tão insensatas em comparação com a vida eterna como as visões do sono podem ser, comparadas às realidades desta vida.

Não reprovamos, ao despertar, os pecados que cometemos em sonho e, se forem crimes, a sociedade não nos pede conta, a menos que não se tenha realizado no estado de sonambulismo, como se, por exemplo, um sonâmbulo, sonhando que mata sua mulher, de fato lhe vibrasse um golpe mortal! É assim que os nossos erros da Terra podem ter um eco em consequência de uma exaltação especial que faz viver o homem na eternidade antes que tenha deixado a Terra. Existem atos da vida presente que podem perturbar as regiões da serenidade eterna. Existem pecados que, como dizem vulgarmente, fazem chorar os anjos. São as injustiças dos santos, são as calúnias que fazem subir até o Ente supremo, quando o apresentam como o déspota caprichoso dos espíritos e como o atormentador infinito das almas. Quando São Domingos e São Pio V enviaram cristãos dissidentes ao suplício, estes cristãos, feitos mártires e entrando pelo direito do sangue derramado, na grande catolicidade do céu, eram acolhidos, sem dúvida, no número dos espíritos bem-aventurados com gritos de espanto e de piedade, e os terríveis sonâmbulos da Inquisição não teriam sido desculpados, alegando, diante do Juiz Supremo, as divagações do seu sono.

    Falsear a consciência humana, apagar o espírito e caluniar a razão, perseguir os sábios, opor-se aos progressos da ciência, são estes os verdadeiros pecados mortais, os pecados contra o Espírito Santo, aqueles que não podem ser perdoados nem neste mundo, nem no outro.

Capítulo X

O MAGNETISMO DO MAL

Um único espírito enche a imensidade. É o de Deus que nada limita ou divide, aquele que está inteiramente em toda parte, sem estar contido em parte alguma.

Os espíritos criados não podem viver senão em envoltórios proporcionais ao seu meio, os quais realizam sua ação limitando-a e impedindo-os de serem absorvidos no infinito.

Lançai uma gota de água doce no mar, ela aí se perderá, a menos que não seja preservada por um envoltório impermeável.

Não existem, pois, espíritos sem envoltório e sem forma; essas formas são relativas ao meio em que vivem e em nossa atmosfera, por exemplo, não podem existir outros espíritos senão o dos homens com os corpos que vemos e os dos animais, cujo destino e natureza ainda ignoramos.

Têm almas os astros? E tem a terra que habitamos uma consciência e um pensamento que lhe são próprios? Nós o ignoramos; porém não podemos afirmar que estão em erro os que o quiserem supor.

Explicaram-se assim certos fenômenos excepcionais por manifestações, conclui-se que a alma da Terra e como, muitas vezes, foi notada uma espécie de antagonismo nestas manifestações concluiu-se que a alma da Terra é múltipla, que se revela por quatro forças elementares que podemos resumir em duas e que se equilibram por três: o que é uma das soluções do grande enigma da Esfinge.

Conforme os hierofantes antigos, a matéria não é mais que o **substratum** dos espíritos criados: Deus não a criou imediatamente. De Deus emanam as potências, os Elohim, que constituem o céu e a Terra e, conforme sua doutrina, era preciso compreender assim a primeira fase do Gênesis: **Bereschith,** a cabeça ou o primeiro princípio, **Bara,** criou **Elohim,** as potências, *æt-ha-schamaim v' æth-ha-aretz,* que são ou que fazem (subentendido) o céu e a Terra. Confessamos que esta tradução nos parece mais lógica que a que daria um velho **Bara** empregado no singular ao nominativo plural **Elohim.**

Esses Elohim ou essas potências seriam as grandes almas dos mundos, cujas formas seriam a substância específica nas suas virtudes elementares. Deus, para criar um mundo, teria ligado juntamente quatro gênios que, debatendo-se, teriam produzido primeiramente o caos e que, forçados a descansar após a luta, teriam formado a harmonia dos elementos; assim, a terra prendeu o fogo e inchou-se para escapar da invasão da água. O ar saiu das cavernas e envolveu a terra e a água, porém o fogo luta sempre contra a terra e a corrói, a água invade por sua vez a terra e sobe em nuvens no céu; o ar se irrita e para repelir as nuvens forma correntes e tempestades. A grande lei do equilíbrio, que é a vontade de Deus, impede que os combates destruam os mundos, antes do tempo marcado para as suas transfigurações.

Os mundos, como os Elohim, estão ligados conjuntamente por cadeias magnéticas que a sua revolta procura romper. Os sóis são rivais dos sóis e os planetas se exercitam contra os planetas, opondo às cadeias de atração uma energia igual de repulsão para defender-se da absorção e conservar cada um a sua existência.

Essas forças colossais, às vezes, tomaram uma forma e se apresentaram sob a aparência de gigantes: – são os Egrégores * do Livro de Enoque, criaturas terríveis, para as quais somos sob nossa ótica, apenas os infusórios ou germes microscópicos que pululam entre os nossos dentes e na nossa epiderme. Os Egrégores nos esmagam sem piedade porque ignoram a nossa existência: são muito grandes para ver-nos e muito limitados para adivinhar-nos.

Assim se explicam as convulsões planetárias que devoram populações. Sabemos muito bem que Deus não salva a mosca inocente, da qual uma cruel e estúpida criança arranca os pés e as asas, e que a Providência não intervém em favor do formigueiro, cujos edifícios um viandante destrói e assola com os pés.

Porque os órgãos de um oução escapam à análise do homem, o homem julga ter o direito de supor que, diante da natureza eterna, a existência dele é muito mais preciosa que a de um oução! Oh! Camões tinha, provavelmente, mais gênio que o Egrégore Adamastor, filho de Gaia; porém, coroado de nuvens, tendo as vagas por cinto e os furacões por manto, podia o gigante Adamastor adivinhar as poesias de Camões?

A ostra nos parece boa para comer, supomos que não tem consciência de si mesma, e que, por conseguinte, não sofre e, sem o menor sentimento, nós a devoramos. Lançamos completamente vivos o caranguejo, o camarão e a lagosta na água fervente, porque, sendo cozidos dessa forma, têm uma carne mais firme e um gosto mais saboroso.

---

* Anjos guardiões ou vigilantes, citados no Livro de Enoque, cuja datação, e possível escrita se deu por volta de 200 a.C. (N. do E.)

Por que lei assim terrível abandona Deus o fraco ao forte, o pequeno ao grande, sem que o papão tenha alguma ideia das torturas que faz sofrer ao débil ente que devora?

E quem nos assegura que alguém tomará nossa defesa contra os entes mais fortes e tão ávidos como nós? Os astros agem e reagem uns sobre os outros; seu equilíbrio é formado por laços de amor e esforços de ódio. Às vezes, a resistência de uma estrela se rompe e ela é atraída para um sol que a devora; outras vezes, uma outra sente sua força de atração expirar nela e é lançada fora da sua órbita pelo girar dos universos. Astros amantes se aproximam e dão à luz novas estrelas. O espaço infinito é a grande cidade dos sóis; eles formam conselhos entre si e se dirigem reciprocamente telegramas de luz. Há estrelas que são irmãs, outras há que são rivais. As almas dos astros, presas pela necessidade da sua carreira regular, podem exercer sua liberdade divergindo seus eflúvios. Quando a Terra é má, torna os homens furiosos e desencadeia flagelos na sua superfície; envia então aos planetas aos quais não ama um magnetismo envenenado, porém eles se vingam, enviando-lhe a guerra. Vênus derrama sobre ela o veneno dos maus costumes; Júpiter excita os reis uns contra os outros; Mercúrio desencadeia contra os homens as serpentes do seu caduceu; a Lua os torna loucos e Saturno os leva ao desespero. Esses amores e essas cóleras das estrelas são a base de toda a astrologia, agora talvez muito desdenhada. Não provou recentemente a análise espectral de Bunsen que cada astro tem a sua imantação determinada por uma base metálica especial e particular, e que há, no céu, escalas de atração como gamas de cores? Podem, pois, existir também, e certamente existem, entre os globos celestes, influências magnéticas que obedecem, talvez, à vontade desses globos se os supusermos dotados de inteligência ou dominados por gênios que os antigos chamavam os vigilantes do céu ou Egrégores.

O estudo da natureza nos faz notar contradições que nos espantam. Em toda parte, encontramos a prova de uma inteligência infinita, porém, muitas vezes também, temos de reconhecer a ação de forças perfeitamente cegas. Os flagelos são desordens que não podemos atribuir ao princípio da ordem eterna. As pestes, inundações e fomes não são ordens de Deus. Atribuí-las ao diabo, isto é, a um anjo condenado, cuja má obra Deus permite, é supor um Deus hipócrita que se oculta, para fazer mal, atrás de um gerente responsável e viciado. De onde vêm, então, estas desordens? Do erro das causas segundas. Porém, se as causas segundas são capazes de erro, é porque são inteligentes e autônomas, eis-nos completamente na doutrina dos Egrégores.

Conforme esta doutrina, os astros não cuidariam dos parasitas que pululam na epiderme deles e se ocupariam somente dos seus ódios e amores. O nosso sol, cujas manchas são um começo de resfriamento, é arrastado lentamente, porém fatalmente, para a constelação de Hércules. Um dia lhe faltará luz e calor, porque os astros envelhecem e devem morrer como nós. Não terá mais, então, a força de repelir os planetas que irão, com ímpeto, despedaçar-se nele e será o fim do nosso universo. Porém, um novo universo se formará com os restos deste. Uma nova criação sairá do caos e renasceremos, numa espécie nova, capazes de lutar com mais vantagem contra a estúpida grandeza dos Egrégores e assim será até que o grande Adão seja reconstituído. Este Adão, que, conforme os cabalistas, esconde o sol atrás do seu calcanhar, esconde estrelas nas maçarocas de sua barba, e, quando quer andar, toca com um pé no Oriente e com outro no Ocidente.

Os Egrégores são os Enaquins, ou Anaquins, citados na Bíblia ou antes, conforme o Livro de Enoque. São os Titãs da mitologia grega e encontram-se em todas as tradições religiosas.

São eles que, nas lutas, lançam os aerólitos no espaço, viajam a cavalo nos cometas e fazem chover estrelas cadentes e bólides inflamados. O ar se torna doentio, as águas se corrompem, a terra treme e os vulcões estouram furiosamente, quando estão irritados ou doentes. Às vezes, durante as noites de estio, os habitantes atrasados dos vales do sul veem com espanto a forma colossal de um homem imóvel que está assentado no planalto das montanhas e banha seus pés em algum lago solitário; passam fazendo o sinal da cruz e julgam ter visto Satã, quando apenas encontraram a sombra pensativa de um Egrégoro.

Esses Egrégores, se tivéssemos de admitir sua existência, seriam os agentes plásticos de Deus, as rodas vivas da máquina criadora, multiformes como Proteu, porém sempre presos à sua matéria elementar. Saberiam segredos que a imensidade nos rouba, porém ignorariam coisas que sabemos. As evocações da magia antiga se dirigem a eles e os nomes bizarros que lhes davam a Pérsia e a Caldeia acham-se conservados nos antigos grimórios.

Os árabes, poéticos conservadores das tradições primitivas do Oriente, creem ainda nesses gigantescos gênios. Existem brancos e pretos; os pretos são maus e chamam-se Afritas. Maomé conservou esses gênios e fez deles anjos tão grandes que o vento das suas asas balançam os mundos no espaço. Confessamos que não gostamos desta multidão de entes intermediários que nos ocultam Deus e parecem torná-lo inútil. Se a cadeia dos espíritos aumenta sempre seus anéis, subindo a Deus, não vemos razão para que pare, porque progredirá sempre no infinito, sem jamais poder tocá-lo. Temos bilhões de deuses a vencer ou dominar, sem jamais poder chegar à liberdade ou à paz. É por isso que rejeitamos definitiva e absolutamente a mitologia dos Egrégores.

Aqui respiramos demoradamente e enxugamos a fronte como um homem que desperta após um sonho penoso. Contemplamos o céu cheio de astros, porém vazio de fantasmas e, com um indizível alívio de coração, repetimos a plena voz estas primeiras palavras do símbolo de Niceia: **Credo in unum Deum.**

Caindo com os Egrégores e Afritas, Satã brilha um momento no céu e desaparece com um clarão. **Videbam Satanam sicut fulgures** (ou *fulgur*) de *cœlo cadentem.*

Os gigantes da Bíblia foram sepultados pelo dilúvio. Os Titãs da Fábula foram esmagados sob as montanhas que tinham amontoado. Júpiter não é mais que uma estrela e toda a fantasmagoria gigantesca do antigo mundo não é mais que uma colossal gargalhada que, em Rabelais, se chama Gargantua.

O próprio Deus não quer mais que o representem sob a forma de um monstruoso panteu. É o pai das proporções e da harmonia e repele as enormidades. Seus hieróglifos favoritos são as brancas e mansas figuras do cordeiro e da pomba e se apresenta a nós nos braços de uma mãe sob a forma de uma criancinha. Quão adorável é o simbolismo católico e quantos padres abomináveis o desconheceram!

Imaginai a pomba do espírito de amor pairando sobre a fumaça gordurenta dos autos de fé e a virgem-mãe vendo queimar as judias! Vede caírem infelizes jovens sob as balas dos zuavos do menino Jesus e sob o fogo dos canhões colocados ao redor do tesouro das indulgências! Mas quem pode sondar os segredos da Providência! Talvez, por esta aberração do poder militar, todos os dissidentes são absolutos e o pecado do pastor torna-se a inocência do mundo!

Aliás, não é o papa um santo padre e não crê ele que faz o seu dever com toda a sinceridade do seu coração? Quem, pois, é culpado? – O culpado é o espírito da contradição e do erro, é o espírito de mentira, que foi homicida desde o princípio, é o tentador, é o diabo, é o magnetismo do mal.

O magnetismo do mal é a corrente fatal dos hábitos perversos, é a síntese híbrida de todos os insetos vorazes e astutos que o homem tira dos animais piores e é realmente neste sentido filosófico que o simbolismo da Idade Média personificou o demônio.

Tem chifres de bode ou de burro, olhos de coruja, nariz como bico de abutre, uma goela de tigre, asas de morcego, garras de harpia e ventre de hipopótamo. Que figura para um anjo, mesmo decaído, e quão longe está do soberbo rei dos infernos sonhado pelo gênio de Milton!

Porém, o Satã de Milton outra coisa não representa senão o gênio revolucionário dos ingleses sob um Cromwell e o verdadeiro diabo é sempre o das catedrais e lendas.

É ágil como o macaco, insinuante como o réptil, astuto como a raposa, alegre como o gato, covarde como o lobo ou o chacal.

E rasteiro e adulador como o criado, ingrato como um rei, vingativo como um mau padre bem como inconsciente e pérfido como uma mulher frívola.

É um Proteu que toma todas as formas, exceto a do cordeiro e da pomba, dizem os velhos grimórios. Ora é um pajenzinho velhaco que leva a cauda do vestido de uma grande dama; ora é um teólogo vestido de arminho ou um cavaleiro bardado de ferro. O conselheiro do mal penetra em toda parte, esconde-se até no seio das rosas. Às vezes sob uma capa de chantre ou de bispo, passeia sua cauda mal dissimulada pelas lajes de uma Igreja, prende-se aos cordões da disciplina das freiras e se achata entre as páginas dos breviários. Geme na bolsa vazia do pobre e, pelo buraco da fechadura dos cofres, chama em voz baixa os ladrões. Seu caráter essencial e inextinguível é ser sempre ridículo, porque, na ordem moral, é a besta e será sempre a tolice. É inútil ter astúcia, combinar, calcular, fazer mal; é falta de espírito.

Seu hábito, dizem os feiticeiros, é pedir sempre alguma coisa; contenta-se com um farrapo, um sapato velho, um pedaço de palha. Quem não compreende aqui a alegoria? Conceder ao mal a menor coisa não é fazer pacto com ele? Chamá-lo, seja apenas por curiosidade, não é entregar-lhe a nossa alma? Toda esta mitologia diabólica dos lendários é cheia de filosofia e de razão. O orgulho, a avareza e a inveja não são por si mesmos personagens; porém, muitas vezes, se personificam nos homens e aqueles que chegam a ver o diabo miram-se na sua própria fealdade.

O diabo jamais foi belo; não é um anjo decaído, pois está condenado desde o nascimento, e o próprio Deus jamais lhe perdoará, porque para Deus não existe. Existe como os nossos erros; é o vício, é a doença, é o medo, é a demência e a mentira, é a febre do hospital dos limbos em que definham as almas doentes. Nunca entrou nas regiões serenas do céu e não poderia, por conseguinte, ter caído delas.

Arreda, pois o dualismo ímpio dos maniqueus; arreda, esse competidor de Deus, sempre poderoso, apesar de fulminado, e que lhe disputa o mundo. Arreda, esse criado sedutor dos filhos do seu senhor, que forçou o próprio Deus a sofrer a morte para resgatar os homens que o anjo rebelde tinha escravizado e ao qual Deus ainda abandona, apesar disso, à maioria daqueles que quis resgatar por um sacrifício tão inconcebível. Abaixo o último e mais monstruoso dos Egrégores! Glória e triunfo eterno só a Deus!

Contudo, honra eterna ao dogma sublime da Redenção; respeito a todas as tradições da Igreja Católica; viva o simbolismo antigo! Porém, Deus nos guarde de materializá-lo tomando entidades metafísicas por personagens reais e alegorias por histórias!

As crianças gostam de acreditar nos ogros e nas fadas; e as multidões têm necessidade de mentira, eu o sei; apelo para as amas e os padres. Porém, escrevo um livro de filosofia oculta que não deve ser lido nem pelas crianças, nem pelas pessoas fracas de espírito.

Pessoas há para as quais o mundo pareceria vazio se não fosse povoado de quimeras.

A imensidade do céu as aborreceria se não fosse povoada de duendes e demônios. Essas grandes crianças nos lembram a fábula do bom La Fontaine que julgava ver um mastodonte na Lua, quando estava vendo um ratinho escondido entre os vidros da luneta.

Todos temos em nós nosso tentador ou nosso diabo que nasce dos nossos temperamentos ou dos nossos humores. Para uns é um peru que faz a roda; para outros é um macaco que arreganha os dentes. É o lado animal da nossa humanidade, é a repulsão tenebrosa da nossa alma, é a ferocidade dos instintos animais exagerada pela vaidade dos pensamentos estreitos e falsos, é o amor da mentira, enfim, nos espíritos que, por fraqueza ou indiferença, desesperam da verdade.

Os possessos do demônio são em tão grande número que compõem o que Jesus Cristo chamava o mundo, e é por isso que dizia aos seus apóstolos: "O mundo vos fará morrer". O diabo mata os que resistem, e consagrar a existência à vitória da verdade e da justiça é fazer o sacrifício da vida. Na cidade dos maus, é o vício que reina e é o interesse do vício que governa. O justo é condenado de antemão, não havendo necessidade de julgá-lo; porém, a vida eterna pertence aos homens de coração que sabem sofrer e morrer. Jesus, que passava fazendo o bem, sabia que caminhava para a morte e dizia aos seus amigos: "Eis que vamos a Jerusalém, onde o filho do homem deve ser entregue ao último suplício. Faço oferta da minha vida; ninguém ma toma; eu a deponho para adquiri-la. Se alguém quer imitar-me, que aceite de antemão a cruz dos malfeitores e caminhe pelas nossas pegadas. Todos vós que agora me vedes não me vereis mais." Quer, então, matar-se ele? – diziam os judeus que o ouviam falar assim. Porém, fazer-se matar pelos outros não é matar a si mesmo.

Os heróis das Thermopylas sabiam bem que aí morriam todos desde o primeiro até o último, e o seu glorioso combate não foi certamente um suicídio.

O sacrifício de si mesmo nunca é suicídio; e Cúrcio, se a sua história não for fabulosa, não é um suicida. Voltando a Cártago, cometia Régulo um suicídio? Suicidava-se Sócrates quando recusava evadir-se da prisão, após sua sentença de morte? Catão, preferindo rasgar seu ventre a sofrer a loucura de César, é um republicano sublime. O soldado ferido que, caído no campo de batalha e não tendo por arma mais que a sua baioneta, quando lhe dizem: "Entrega as armas!", mergulha esta baioneta no coração, dizendo: "Vem tomá-las", não é um homem que se suicida, é um herói que é fiel ao seu juramento de vencer ou morrer. O Sr. Beaurepaire, fazendo saltar seus miolos antes de assinar uma capitulação vergonhosa, não se suicida, e sim sacrifica-se à honra!

Quando a gente não tem pacto com o mal, não deve temê-lo; mas, quando não teme o mal, não deve temer a morte; ela só tem império terrível sobre o mal. A morte negra, a morte espantosa, a morte cheia de angústia e de temor é filha do diabo. Eles juraram morrer juntamente; porém, como são mentirosos, se dão reciprocamente por eternos.

Dizíamos, há pouco, que o diabo é ridículo, e, na nossa História da Magia, declaramos que não nos faz rir e, de fato, ninguém se diverte do ridículo quando é feio, e, quando se tem o amor do bem, não se pode rir do mal.

O veículo fluídico, astral, representado em todas as mitologias pela serpente, é o tentador natural de Chavah ou da forma material; esta serpente era inocente como todos os entes do pecado de Eva e de Adão. O diabo nasceu da primeira desobediência e tornou-se esta cabeça de serpente que o pé da mulher deve esmagar.

A serpente, símbolo do grande agente fluídico, pode ser um sinal sagrado quando representa o magnetismo do bem, como a serpente de bronze de Moisés. Há duas serpentes no caduceu de Hermes.

O fluido magnético está submetido à vontade dos espíritos que podem atraí-lo ou projetá-lo com forças diferentes conforme ao seu grau de exaltação ou de equilíbrio.

Chamam-no luzeiro ou Lúcifer porque é o agente distribuidor e especializador da luz astral.

Chamam-no também o anjo das trevas, porque é o mensageiro dos pensamentos obscuros como dos pensamentos luminosos, e os hebreus que o chamam Samael dizem que é duplo e que há o Samuel da Luz e Samuel das Trevas, o Samael israelita e o Samael incircunciso.

A alegoria aqui é evidente. Certamente acreditamos, como os cristãos, na imortalidade da alma; como todos os povos civilizados, acreditamos em penas e sofrimentos proporcionais às nossas obras. Acreditamos que os espíritos podem ser infelizes e atormentados na outra vida; admitimos, pois, a existência possível dos réprobos.

Acreditamos que as cadeias de simpatias não se rompem, mas, pelo contrário, se tornam mais estreitas pela morte. Isto, porém, só existe entre os justos. Os maus só podem comunicar entre si por eflúvios de ódio.

O magnetismo do mal pode, portanto, receber também impressões de além-túmulo, porém somente pelas aspirações perversas dos vivos, não tendo mais os mortos que Deus pune o poder, nem a vontade eficaz de fazer o mal. Sob a mão da justiça de Deus, ninguém peca mais, expia.

O que negamos é a existência de um poderoso gênio, de uma espécie de Deus negro, de um monarca sombrio, tendo o poder de fazer o mal depois de Deus tê-lo reprovado. O rei Satã é para nós uma ficção ímpia, apesar de tudo o que ela pode apresentar, no poema de Milton, de poesia e grandeza. O mais culpado dos espíritos decaídos deve ter caído mais baixo que os outros e mais que os outros estar preso pela justiça de Deus. As galés têm, sem dúvida, seus reis que exercem ainda uma certa influência no mundo criminal, porém isto resulta da insuficiência dos meios de vigilância ou de repressão empregados pela justiça humana e ninguém engana a justiça de Deus.

No livro apócrifo de Enoque, lemos que esses Egrégores das Trevas se encarnaram para seduzir as filhas da Terra e deram nascimentos aos gigantes. Os verdadeiros Egrégores, isto é, os vigilantes da noite, nos quais gostamos de crer, são os astros do céu com seus olhos sempre brilhantes. São os anjos que governam as estrelas e que são como pastores para as almas que os habitam. Gostamos também de pensar que pode ser o de um dos planetas do nosso sistema. Assim, conforme as poéticas tradições da Cabala, Micael, o anjo do Sol, é o do povo de Deus. Gabriel, o anjo da Lua, protege os povos do Oriente que têm o crescente como pendão. Marte e Vênus governam conjuntamente a França. Mercúrio é o gênio da Holanda e da Inglaterra. Saturno é o gênio da Rússia Tudo isto é possível, embora duvidoso, e pode servir às hipóteses da astrologia ou às ficções da epopeia.

O reino de Deus é um governo admirável em que tudo subsiste por hierarquia e em que a anarquia se destrói por si mesma. Se existisse no seu império prisões para os espíritos culpados, só Deus é o senhor e, sem dúvida, as faz governar por anjos severos e bons. Nelas não é permitido aos condenados se torturarem mutuamente. Seria Deus menos sábio e menos bom que os homens. E que diriam de um príncipe da Terra que procurasse um bandido da pior espécie para diretor das suas prisões, permitindo-lhe, muitas vezes, sair para continuar seus crimes e dar às pessoas de bem horríveis exemplos e perniciosos conselhos?

Capítulo XI

O AMOR FATAL

Os animais são submetidos pela Natureza a um estado fenomenal, que nos impele invencivelmente à reprodução, e que chamamos cio. Só o homem é capaz de um sentimento sublime que lhe faz escolher sua companheira e que tempera, pelo devotamento mais absoluto, a aspereza do desejo. Este sentimento se chama amor. Entre os animais, o macho copula indistintamente com todas as fêmeas e as fêmeas se submetem a todos os machos. O homem é feito para amar uma só mulher e a mulher digna de respeito se conserva para um só homem.

No homem como na mulher, o arrastamento dos sentidos não merece o nome de amor; é alguma coisa semelhante ao cio dos animais. Os libertinos e as libertinas são brutos.

O amor dá à alma a intuição do absoluto, porque é por si mesmo absoluto ou não existe. O amor que se desperta numa grande alma é a eternidade que se desperta.

Na mulher que ama, o homem vê e adora a divindade materna e dá para sempre seu coração à virgem a quem aspira condecorar com a dignidade de mãe.

A mulher, no homem que ama, adora a divindade fecunda que deve criar nela o objeto de todos os seus votos, o fim da sua vida, a coroa de todas as suas ambições: o filho.

Essas duas almas não fazem mais que uma que deve completar-se por uma terceira. É o homem único em três amores como Deus existe em três pessoas.

Nossa inteligência é feita para a verdade e nosso coração para o amor. É por isso que Santo Agostinho diz com razão, dirigindo-se a Deus: "Tu nos fizeste para ti, Senhor, e o nosso coração é atormentado até que tenha encontrado o seu descanso em ti". Ora, Deus, que é infinito, só pode ser amado pelo homem por intermédio. Faz-se amar pelo homem na mulher e no homem pela mulher. É por isso que a honra e a felicidade de ser amados nos impõem uma grandeza e bondade divinas.

Amar é perceber o infinito no finito. É ter encontrado a Deus na criatura. Ser amado é representar a Deus, é ser seu plenipotenciário junto a uma alma para dar-lhe o paraíso na Terra.

As almas vivem de verdade e de amor; sem amor e sem verdade sofrem e perecem como corpos privados de luz e de calor.

Que é a verdade? – perguntava desdenhosamente a Jesus Cristo o representante de Tibério e o próprio Tibério teria podido perguntar com um desdém mais insolente e uma ironia mais amarga: – Que é o amor?

O furor de nada poder compreender e de nada crer, a raiva de não poder amar, eis aí o verdadeiro inferno, e quantos homens, quantas mulheres estão entregues desde esta vida às torturas dessa espantosa danação?

Daí os furores apaixonados pela mentira; daí estas mentiras apaixonadas de amor que entregam a alma às fatalidades da demência. A necessidade de saber, sempre desesperada pelo desconhecido e a necessidade de amar, sempre traída pela impotência do coração.

Don Juan vai de crime em crime à procura do amor e acaba morrendo sufocado pelos braços de um espectro de pedra. Fausto, desesperado por insignificância da ciência sem fé, procura distrações e só encontra remorsos após ter perdido a muito crédula Margarida; contudo. Margarida o salvará, pois ela, a pobre criança inocente, amou verdadeiramente e Deus não pode querer que ela seja separada para sempre daquele a quem adora.

Quereis penetrar os segredos do amor? Estudai os mistérios do ciúme. O ciúme é inseparável do amor porque o amor é uma preferência absoluta que exige a reciprocidade, porém não pode existir sem uma confiança absoluta, que o ciúme vulgar tende naturalmente a destruir. É que o ciúme vulgar é um sentimento egoísta, cujo resultado mais ordinário é substituir o ódio à ternura. É uma calúnia secreta do objeto amado, é uma dúvida que o ultraja, é muitas vezes um furor que leva a maltratá-lo e a destruí-lo.

Julgai também o amor conforme as suas obras, se eleva a alma, inspira o devotamento e as ações heroicas, se apenas tem ciúme da perfeição e da felicidade do ser amado. Se é capaz de sacrificar-se para a honra e descanso da pessoa a quem ama, é um sentimento imortal e sublime; porém, se destrói a coragem, se enerva a vontade, se abaixa as aspirações, se faz desprezar o dever, é uma paixão fatal e é preciso vencer ou morrer.

Quando o amor é puro, absoluto, divino, sublime, é por si mesmo o mais sagrado de todos os deveres. Admiramos Romeu e Julieta apesar de todos os preconceitos e furores dos Capuletos e dos Montaigus e não pensamos que os ódios das suas famílias devessem separar para sempre Píramo de Thisbea.

Porém, admiramos também Ximena solicitando a morte do Cid para vingar a do seu pai, porque Ximena, sacrificando o amor, se torna mais digna do próprio amor; ela sente bem que, se traísse seu dever, Rodrigo não lhe teria mais amor. Entre a morte do seu amante e o aviltamento do seu amor, a heroína não poderia hesitar. Justifica ela esta grande palavra de Salomão, que o amor é mais inflexível que o inferno?

O verdadeiro amor é a revelação brilhante da imortalidade da alma; seu ideal para o homem é a pureza sem mancha e, para a mulher, a generosidade sem desânimo. Tem ciúme da integridade deste ideal e este ciúme tão nobre deve chamar-se Zelotipia ou o tipo do Zelo. O sonho eterno do amor é a mãe imaculada e o dogma recentemente definido pela Igreja, tirado do Cântico dos Cânticos, não teve outro revelador senão o amor.

A impureza é a promiscuidade dos desejos; o homem que deseja todas as mulheres, a mulher que ama os desejos de todos homens, não conhecem o amor e são indignos de conhecê-lo. A *coquetterie* é a depravação da vaidade feminina; seu próprio nome é tirado de alguma coisa de bestial e lembra os modos provocantes das galinhas que querem chamar a atenção do galo. É permitido à mulher ser bela, porém ela só deve desejar agradar àquele que ela ama ou que poderá amar um dia.

A integridade do pudor da mulher é especialmente o ideal dos homens e é o assunto do seu ciúme legítimo. A delicadeza e a magnitude no homem é o sonho especial da mulher e é nesse ideal que ela encontra o estimulante ou o desespero do seu amor.

O casamento é o amor legítimo. Um casamento de conveniência é um casamento de desespero. Um macho e uma fêmea da espécie humana combinam em ter juntos filhos sob a proteção da lei; se ainda nem um nem outro amou, pode-se esperar que o amor virá com a intimidade e a família, porém o amor não obedece sempre às conveniências sociais e aquele que se casa sem amor, muitas vezes, desposa uma probabilidade de adultério.

A mulher que ama e casa com o homem a quem não ama faz um ato contra a natureza. Júlia de Volmar é indesculpável e seu marido uma personagem impossível, mesmo no romance; Saint-Preux devia desprezar esse casal impossível. Uma moça que se deu e depois se desdiz desonra seu primeiro amor; convém-se que deu ocasião ao adultério. Há um ente diante de quem uma mulher, digna deste nome, nunca deve resignar-se a enrubescer: é o homem que achou digno do seu primeiro amor.

Compreendemos que um homem de coração despose e reabilite, assim, uma moça honesta que foi seduzida, depois abandonada; porém que uma jovem que foi seduzida se entregue quando não pertence mais a si mesma, e isto sob o pretexto que o barão de Etange ameaça matá-la ou então porque sua filha supõe que, se ela não lhe obedece, seu pai morrerá por isso, declaramos que aqui a indelicadeza de coração se justifica mal pela fraqueza ou pela sensibilidade tola. Um pai que fala de matar sua filha ou de morrer se ela age de modo conveniente ou com nobreza não é mais um pai: é um egoísta feroz no seu despotismo, a quem tem-se o direito de censurar ou de fugir. Em suma, a Júlia de Rousseau é uma moça reputada honesta que trai, ao mesmo tempo, dois homens. Seu pai é um proxeneta que desonra, ao mesmo tempo, sua filha e seu amigo; Volmar é um covarde e Saint-Preux um tolo. Quando soube que Júlia tinha casado, não devia mais tornar a vê-la.

Desposar uma mulher que se deu a outro e a quem este outro não abandonou é desposar a mulher de outro casamento nulo diante da natureza e da dignidade humana. É o que Rousseau não compreendeu. Admito o casamento de aventuras das heroínas de Henrique Murger, as quais fazem da vida uma farsa de carnaval; não admito o de Júlia, que mostra a pretensão de tomar a sério o amor. Ser ou não ser, eis aí a questão, como diz Hamlet; ora, a virtualidade do ser humano está no seu pensamento e no seu amor.

Abjurar publicamente de seu pensamento sem estar convicto de que é falso é a apostasia do espírito; abjurar o amor quando a gente sente que ele existe, eis aí a apostasia do coração.

Os amores que mudam são caprichos que passam; aqueles de que nos devemos envergonhar são fatalidades cujo jugo devemos sacudir.

Homero nos mostra Ulisses, vencedor das armadilhas de Calipso e de Circe, fazendo-se ligar ao mastro do seu navio para ouvir os cantos deliciosos das sereias, sem ceder a elas; esse é o verdadeiro modelo do sábio que escapa das decepções do amor fatal. Ulisses se deve inteiramente a Penélope que se conserva para ele, e o leito nupcial do rei de Ithaca, tendo por colunas árvores eternas que se prendem à terra pelas suas fortes raízes, e é aqui, na Antiguidade, às vezes um tanto licenciosa, o monumento simbólico do verdadeiro e casto amor.

O amor verdadeiro é uma paixão invencível, motivada por um sentimento justo, e nunca pode estar em contradição com o dever, porque se torna o mais absoluto dever, porém a paixão injusta constitui o amor fatal e é a este que devemos resistir, tivéssemos embora de sofrer e morrer.

Poderíamos dizer que o amor fatal é o príncipe dos demônios, porque é o magnetismo do mal armado com todo o seu poder, e nada pode limitar ou desarmar os seus furores. É uma febre, é uma demência, é uma raiva. É preciso arder-se lentamente, como a tocha de Atheu, sem que alguém tenha piedade de nós. As recordações nos torturam, os desejos enganados nos desprezam, saboreamos a morte e, muitas vezes, prefere-se antes sofrer e amar que morrer. Qual o remédio para esta doença? Como curar as picaduras desta flecha envenenada? Quem nos tirará das aberrações desta loucura?

Para curar do amor fatal é preciso romper a cadeia magnética, precipitando-se noutra corrente e neutralizando uma eletricidade pela eletricidade contrária.

Afastai-vos da pessoa amada; nada guardeis que vo-la lembre; abandonai até o vosso vestuário com o qual ela vos teria visto. Imponde-vos ocupações fatigantes e múltiplas, nunca fiqueis ocioso, nem a sonhar; esgotai-vos de cansaço durante o dia para dormir profundamente à noite; procurai uma ambição ou um interesse a satisfazer, e para encontrá-los, ele vai-vos acima do vosso amor. Assim chegareis à tranquilidade, senão ao esquecimento. O que é preciso evitar principalmente é a solidão nutridora dos enternecimentos e sonhos, a menos que a pessoa não se sinta atraída pela devoção, como Luiza de la Vallière e o Sr. de Rancé, e que não procure, nos suplícios voluntários do corpo, o abrandamento das penas da alma.

O que é preciso pensar, principalmente, é que o absoluto nos sentimentos humanos é um ideal que nunca se realiza neste mundo, que toda beleza se altera e que toda vida se esgota; que tudo passa, em fim, com uma rapidez que parece prestígio; que a bela Helena se tornou uma velha cabeça desdentada, depois um pouco de pó e, enfim, nada.

Todo amor que não se pode e não se deve confessar é um amor fatal. Fora das leis da natureza e das sociedade, nada há de legítimo nas paixões e é preciso condená-las ao nada desde o nascimento, esmagando-as sob este axioma: **O que não deve existir não existe**. Coisa alguma desculpará o incesto ou o adultério. São coisas cujo nome os ouvidos castos temem e cuja existência as almas simples e puras não devem admitir. Os atos, que a razão não justifica, não são atos, são bestialidades e loucura. São quedas após as quais é preciso relevar-se e limpar-se para não guardar as suas manchas; são torpezas que a decência deve ocultar e que a moral, purificada pelo sopro magnético, não poderia admitir, mesmo para puni-las. Vede Jesus na presença da mulher surpreendida em adultério; não escuta os que a acusam, não a olha para não ver sua vergonha e, quando o importunam para que a julgue, ele a repreende com esta grande palavra que seria a supressão de toda penalidade imposta pela justiça humana, se não quisesse dizer que certos atos devem permanecer desconhecidos e como que impossíveis diante do pudor da lei: **"Levantai-vos e, de ora em diante, procurai não mais cair."**.

Eis aí o que o mestre sublime acha para dizer à infeliz, cujos acusadores recusou ouvir.

Jesus não admite o adultério; chama-o fornicação e, como único castigo, autoriza o homem a despedir aquela que foi sua mulher.

A mulher, por sua vez, tem o direito de abandonar um marido que a engana. Então, se não tem filhos, torna-se livre diante da Natureza. Porém, se for mãe, perde o direito sobre os filhos do seu marido, a não ser que este seja notoriamente infame. Renunciando a ele, renuncia aos seus filhos; e, se não tem a triste coragem de abandoná-los e de ser manchada aos seus olhos, é preciso que ela se resigne ao heroísmo do sacrifício materno, ficando viúva no casamento e consolando-se das dores da mulher no devotamento da mãe.

As fêmeas dos pássaros jamais abandonam seu ninho enquanto os filhotes não tiverem asas; por que seriam as mulheres piores mães que as fêmeas dos pássaros?

O ideal do absoluto em amor diviniza, por assim dizer, a geração do homem e este ideal exige a unidade do amor. Este belo sonho do Cristianismo é a realidade das grandes almas e é para nunca aviltar-se nas promiscuidades do velho mundo que tantos corações amantes foram aos claustros viver e morrer num desejo eterno. Erro às vezes sublime, porém sempre lastimável, pois então é necessário recusar viver por não ser imortal? Não mais comer porque o alimento da alma é superior ao do corpo, não mais andar porque não se tem asas?

Feliz do nobre fidalgo D. Quixote, que crê adorar Dulcineia, ao abraçar os grandes pés mal calçados de uma camponesa do Toboso!

A Heloísa de Rousseau, que há pouco criticamos tão severamente no ponto de vista do absoluto em amor, nem por isso deixa de ser uma deliciosa criação, tanto mais verdadeira quanto defeituosa, e reproduz num romance verdadeiramente humano todas as contradições e fraquezas que fizeram de Rousseau, com as reminiscências de um antigo lacaio, o D. Quixote da virtude. Após ter em vão procurado fixar Madame Warrens (baronesa Françoise-Louise de Warens), de que teve ciúmes após tê-la esquecido por causa de Madama Lamage, depois de ter adorado Madama Houdetot que amou a outro, casou filosoficamente com sua criada, e, se é verdade que o pobre homem morreu em consequência do desgosto que lhe causou a descoberta de uma infidelidade de Teresa, é preciso admirá-lo e lastimá-lo; seu coração era feito para amar.

Para um coração digno de amor só existe no mundo uma mulher, porém a mulher, esta divindade da Terra, se revela, às vezes, em várias pessoas, como a divindade do céu e suas encarnações são, muitas vezes, mais numerosas que os avatares de Vishnú. Felizes dos crentes que não desanimam nunca e que, nos invernos do coração, esperam a volta das andorinhas.

O sol brilha numa gota de água; é um diamante, é um mundo; feliz daquele que, quando a gota de água seca, não pensa que o sol vai embora. Todas as belezas que passam são apenas reflexos fugitivos da Beleza eterna, objeto único dos nossos amores.

Queria ter os olhos de águia e voar para o sol, porém se o sol vem a mim, distribuindo seus esplendores nas gotas do orvalho, agradecerei à Natureza, sem muito afligir-me quando o diamante desaparecer. Oh! para esta inconstante criatura que não mais me ama, para a sede de ideal do seu coração, eu também era uma gota de água; devo eu acusá-la e maldizê-la porque a seus olhos me tornei uma lágrima dissolvida em que não vê mais o sol?

Capítulo XII

A ONIPOTÊNCIA CRIADORA

A página sublime com que principia o Gênesis não é a história de um fato realizado uma vez; é a revelação das leis criadoras e do desenvolvimento sucessivo do Ser.

Os seis dias de Moisés são as seis luzes de que o setenário é o esplendor. É a genealogia das ideias que se tornam formas na ordem dos números simbólicos eternos.

No primeiro dia, se manifesta a unidade da substância prima, que é luz e vida e que sai das sombras do desconhecido.

No segundo dia, se revelam as duas forças que são o firmamento ou a consolidação dos astros.

No terceiro, a distinção e a união dos elementos contrários produzem a fecundidade na Terra.

Ao quarto, Moisés atribui o quaternário traçado no céu pelos quatro pontos cardeais no movimento circular da Terra e dos astros.

No quinto, aparece o que deve mandar nos elementos, isto é a alma vivente.

O sexto dia vê nascer o homem com os animais seus auxiliares.

No sétimo dia, tudo funciona; o homem age e Deus parece descansar.

Os pretensos dias de Moisés são as luzes sucessivas lançadas pelos números cabalísticos sobre as grandes leis da Natureza, o número de dias sendo somente o das revelações. É a gênese da ciência mais ainda que a do mundo. Ela deve repetir-se no espírito de todo homem que investiga e pensa; começa pela afirmação do ser visível e após as consultas sucessivas da ciência, pelo descanso do espírito que é a fé.

Suponhamos um homem que está sofrendo de ceticismo, ou mesmo que se estabelece sistematicamente na dúvida de Descartes. Penso, logo existo, lhe faz dizer Descartes. Não andemos tão depressa e perguntemos-lhes: Sentis vós que existis?

– Creio existir, responderá o cético, e assim a sua primeira palavra é uma palavra de fé.

– Creio existir, porque me parece que penso.

Se acreditais em alguma coisa, e vos parece alguma coisa, é que existis. Existe, pois, alguma coisa, o ente existe, mas para vós tudo é caos, nada ainda se manifesta em harmonia e o vosso espírito flutua na dúvida como sobre as águas.

Parece-nos que pensais. Ousai afirmá-lo de um modo claro e ousado. Ousareis, se o quiserdes; o pensamento é a luz das almas, não luteis contra o fenômeno divino que se realiza em vós, abri os vossos olhos interiores, dizei: faça-se luz e a luz se fará para vós. O pensamento é impossível na dúvida absoluta e, se admitirdes o pensamento, admitireis a verdade. Aliás, sois bem forçado a admiti-lo porque não podeis negar o ente. A verdade é a afirmação do que existe, e, a vosso pesar, ser-vos-á necessário distingui-la da afirmação do que não existe ou da negação do que existe, as duas fórmulas do erro.

Silêncio, agora, e recolhamo-nos nas trevas que nos restam. A vossa criação intelectual acaba de realizar seu primeiro dia! Levantemo-nos agora! Eis uma nova aurora. O ente existe e o ente pensa. A verdade existe, a realidade se afirma, necessita-se o juízo, a razão se forma e a justiça é necessária.

Agora admiti que no ente está a vida. Para isto não tendes necessidade de provas. Obedecei ao vosso sentimento íntimo e mandai nos vossos sofismas, dizendo: – Quero que isto seja para mim e isto para vós, porque já independentemente de vós isto deve ser e isto é. Ora, a vida se prova pelo movimento, o movimento se opera e se conserva pelo equilíbrio, o equilíbrio no movimento é a partilha e a igualdade relativa nas impulsões alternadas e contrárias da força; há, pois, partilha e direção contrária e alternada na força; a substância é como vo-la mostrou o primeiro dia, a força é dupla como vo-la revela a segunda luz e esta força dupla nas suas impulsões recíprocas e alternadas constitui o firmamento ou a consolidação universal de tudo o que se move conforme as leis do equilíbrio universal. Vedes estas duas forças funcionarem em toda a Natureza. Elas repelem e atraem, agregam e dispersam. Vós as sentis em vós, porque experimentais a necessidade de atrair e irradiar, conservar e espalhar. Em vós, os instintos cegos são equilibrados pelas previsões da inteligência; não podeis negar que isto seja, ousai, pois afirmar que isto existe e dizei: – Quero que o equilíbrio se faça em mim e o equilíbrio se fará e eis que o vosso segundo dia é a revelação do binário.

Distingui agora estes poderes, para melhor uni-los, a fim de que eles se fecundem reciprocamente; regai as terras áridas da ciência com as águas vivas do amor; a terra é a ciência que se elabora e se mede, a fé é imensa como o mar. Oponde os diques às suas enchentes, porém não impedi-lhe de levantar suas nuvens e derramar a chuva na terra. A terra será então fecundada, a ciência árida verdejará e florescerá. Infelizes daqueles que temem a água do céu e que quereriam encobrir a terra sob um véu de zinco. Deixai germinarem as esperanças eternas, deixai florescerem as crenças ingênuas, deixai crescerem as grandes árvores. Os símbolos crescem como os cedros, fortificam-se como os carvalhos e trazem em si mesmos a semente que os reproduz. O amor revelou-se na natureza pela harmonia, o triângulo sagrado faz brilhar sua luz, o número três completa a divindade, quer em teu ideal, quer no conhecimento transcendente de ti mesmo. Tua inteligência tornou-se mãe, porque foi fecundada pelo gênio de fé. Paremos aqui, porque este milagre da luz basta para a glória do terceiro dia.

Levanta os olhos e contempla o céu. Vê o esplendor e a regularidade dos astros. Toma o compasso e o telescópio do astrônomo e sobe de prodígio em prodígio, calcula a volta dos cometas e a distância dos sóis, tudo isto se move conforme as leis de uma hierarquia admirável. Toda esta imensidade cheia de mundos absorve e ultrapassa todos os esforços da inteligência humana. É então ininteligência? É verdade que os sóis não vão onde querem e que os planetas não saem das suas órbitas. O céu é uma máquina imensa que talvez não pensa, mas que certamente revela e reproduz o pensamento. Os quatro pontos cardeais do céu, os equinócios e os solstícios, o oriente e o ocidente, o Zênite e o Nadir, estão no seu posto como sentinelas e nos propõem um enigma a adivinhar: as letras do nome de Jeová ou as quatro formas elementares e simbólicas da velha Esfinge de Tebas. Antes que aprendas a ler, ousa crer e declarar que há um sentido oculto nestas escrituras do céu. Que a ordem te revele uma vontade sábia e, se a natureza ainda não é, aos teus olhos, mais que uma máquina impotente para andar por si mesma, se duvidas do motor independente, fecha teus olhos e descansa das fadigas do teu quarto dia. Amanhã manifestaremos as maravilhas da autonomia.

A mosca que zune também volteja e pousa onde quer, a minhoca que se arrasta à vontade pelas margens úmidas tem alguma coisa de mais surpreendente que os sóis, porque são autônomos e não se movem como as rodas de um mecanismo fatal. O peixe é livre e se regozija na onda, sobe à superfície para procurar seu alimento. Um ruído o assusta, estremece e foge ao fundo, repelindo a água que fervilha; o pássaro atravessa os ares, dirigindo-se á vontade, procura a árvore ou a parede em que fará seu ninho, pousa num galho e canta, vai depois buscar as folhagens e ervas, cuida do nascimento dos seus filhotes. Será ele que pensa ou alguém que pensa por ele? Duvidarás da inteligência dos mundos, duvidarás da dos pássaros? Se os pássaros são livres sob um céu escravo, a quem, pois, obedece o céu se não for àquele que dá a liberdade aos pássaros? Porém, o céu não é escravo, é submetido a leis admiráveis que podes compreender e às quais os sóis obedecem sem ter necessidade de conhecê-las. Tendes a inteligência do céu e, com este título, és mais imenso que o próprio céu. És tu o criador e o regulador dos mundos? Não; este criador é, sem dúvida, outro; porém és o seu confidente e, por assim dizer, coadjutor. Não negues a teu senhor; seria negar a ti mesmo, filho de Copérnico e de Galileu. Podes criar com eles o céu da ciência; filho do criador desconhecido, olha estes milhares de universos que vivem na imensidade e inclina-te diante da soberana inteligência do teu Pai.

A estrela da inteligência senhora das forças, a estrela de cinco pontas, o pentagrama dos cabalistas e o microcosmo dos pitagóricos aparece no quinto dia. Sabes agora que a matéria não poderia mover-se sem que o espírito a dirigisse e queres a ordem no movimento; vais compreender o homem e vais concorrer para criá-lo.

Eis que aparecem formas para todas as forças da natureza, que são impelidas pela autonomia suprema a tornar-se por si mesmas autônomas e vivas. Todas essas forças te serão submissas e todas se conformam com as figuras do teu pensamento. Escuta rugir o leão e ouvirás o eco da tua cólera, o mastodonte e o elefante tornam em derrisão a vaidade do teu orgulho; queres tu assemelhá-los, tu, senhor deles? Não; é preciso dominá-los e fazê-los servir aos teus usos: porém, para impor-lhes teu poder, é preciso dominar em ti mesmo os vícios de que vários deles são o exemplo.

Se fores glutão como o porco, lascivo como o bode, feroz como o lobo ou ladrão como a raposa, não és mais que um animal mascarado com uma figura humana. Rei dos animais, levanta-te na tua dignidade e da tua dignidade façamos o homem; dize: quero ser um homem e serás o que quiseres ser, porque Deus quer que sejas um homem, porém espera teu consentimento porque te criou livre; e por quê? É porque todo monarca deve ser aclamado e proclamado pelos seus pares; é que só a liberdade pode compreender e honrar o poder divino; é que Deus precisa desta grande dignidade do homem para que o homem possa adorar legitimamente a Deus.

O ocultismo de Deus é necessário como o da ciência. Se Deus se revelasse a todos os homens de um modo claro e indubitável, o dogma do inferno eterno reinaria em todo o seu horror. Os crimes humanos não teriam mais circunstâncias atenuantes.

Os homens seriam forçados a fazer o bem ou a perder-se para sempre, o que Deus não poderia querer e não quer; é preciso que o dogma permaneça completo e que a misericórdia guarde sua liberdade imensa.

Deus (se nos permitirem dar-lhe aqui a forma humana, a exemplo dos grandes cabalistas e dos autores inspirados da Bíblia), tem duas mãos; uma para castigar, outra para revelar e abençoar.

A primeira é presa pela ignorância e a fraqueza do homem. A outra quer sempre estar livre e é por isso que Deus, não constrangendo nunca a vossa fé, respeita a nossa liberdade.

A marcha do espírito humano separado de Deus é rápida. Os cultos sem autoridade caem na filosofia que, por sua vez, se abisma no materialismo A única religião sólida, a que sabe dizer **non possumus**, pode e poderá sempre alguma coisa, porque possui a cadeia do ensino, a eficácia real dos sacramentos, a magia dos cultos, a legitimidade hierárquica e o poder milagroso do verbo. Que ela deixe, pois, sem perturbar-se, que o ateísmo e o materialismo se produzam. São dois cérberos desencadeados para guardar sua porta e devorarão todos os seus inimigos.

Sei que os meus leitores, em grande número, me acusam de contradição; não concebem que sustente com uma das mãos os altares da catolicidade e com a outra bata sem piedade sobre todos os erros e abusos que se produziram e se produzem ainda sob o nome e à sombra do catolicismo. Os católicos cegos se espantam das minhas interpretações ousadas e os pretensos livres-pensadores se indignam do que chamam minhas fraquezas por uma religião que creem caída no desprezo, porque a abandonaram. Desagrado tanto aos cristãos de Veuillot como aos filósofos de Proudhon. Isto não deve admirar-me, eu o esperava, não me aflijo por isso e nem direi que me vanglorio.

Gostaria mais de agradar a todos, porque amo sinceramente todos os homens, porém enquanto for necessário escolher entre a verdade e a estima de quem quer que seja, mesmo dos meus amigos mais caros, escolherei sempre a verdade.

A Igreja Romana, dizem, não é mais que uma sombra, é um espectro que olha para o passado e só sabe andar para traz. E, contudo, se queixam diariamente das suas invasões. Ela se apodera das crianças e mulheres, absorve as propriedades, embaraça os reis, faz obstáculos ao movimento dos povos e até força o ouro dos banqueiros israelitas e o sangue voltairiano da França a servi-la.

Esta enferma, condenada por tantos médicos, zomba das pílulas de Sganarello e se obstina em não morrer. É que, a despeito dos grandes pensadores e dos bem-falantes, tem as chaves da vida eterna. Sentimos que, se ela se apaga, Deus se furta para sempre de nós e a imortalidade da alma vai-se embora.

Há uma coisa profundamente verdadeira e que, contudo, parecerá paradoxal: é que todos os cultos cristãos dissidentes só vivem pelas sublimes obstinações do catolicismo radical. Eu vos pergunto agora, contra quem protestariam Lutero e Calvino, se o papa se dobrasse e cedesse aos luteranos ou calvinistas? Se o papa admitir, em princípio, a liberdade de consciência, declara que a verdade a ele pertencente é duvidosa. Ora, a verdade a ele pertencente não é a de um sistema, não é a de uma seita, não é a de uma fantasia religiosa, é a da humanidade crente, é a de Hermes e de Moisés, é a de Jesus Cristo, é a de São Paulo, de Santo Agostinho, de Fenelon e de Bossuet, todos maiores pensadores e maiores homens que Proudhon, o doutor Garnier, o céptico Girardino e os niilistas Tartempion ou João Bonachão, ouvis?... Entendeis?

Não, o papa não deve dizer que, em matéria de religião, somos livres de pensar o que nos agradar. É um modo estranho de compreender a liberdade o de querer forçar o chefe de uma Igreja absoluta a ser tolerante quando é evidente que a tolerância seria o suicídio da sua autoridade espiritual. É a indulgência e não a tolerância que deve ter para com os homens e seus erros o representante de Jesus Cristo. A Igreja é a caridade: tudo o que é contra a caridade é contra ela. Ela se sustenta e se perpetua pela caridade. É pelo milagre permanente das suas boas obras que ela deve provar ao mundo sua divindade.

Para assegurar seu reino na Terra, não deve alistar zuavos, porém pode criar santos. Como pôde ela esquecer estas grandes palavras do mestre: "Procurai primeiro o reino de Deus e sua justiça e o resto vos será dado por acréscimo"?

Capítulo XIII

A FASCINAÇÃO

A Igreja condena e deve condenar a magia porque ela se apropriou do seu monopólio. Ela deve servir-se das forças ocultas que os antigos magos empregavam para enganar e sujeitar as multidões, a fim de esclarecer progressivamente os espíritos e trabalhar para a libertação das almas pela hierarquia e a moralidade. Deve-o sob pena de morte, porém já dissemos que é imortal e que a morte aparente não pode ser para ela mais que um trabalho regenerador e uma transfiguração.

Entre as forças de que dispõe e de que podemos fazer uso, quer para o bem, quer para o mal, é preciso contar em primeiro lugar o poder da fascinação.

Fazer crer o impossível, fazer ver o invisível, fazer tocar no insensível, exaltando a imaginação e alucinando os sentidos, apoderar-se assim da liberdade intelectual daqueles a quem a gente prende e solta à vontade, é o que chamamos fascinar.

A fascinação é sempre o resultado de um prestígio.

O prestígio é a entrada em cena do poder, quando não o é da mentira.

Vede Moisés, quando quer promulgar o decálogo: escolhe a mais escarpada montanha do deserto, rodeia-a de uma barreira que ninguém poderá passar, sem ser ferido de morte! Aí sobe, ao som da trombeta, para conversar face a face com Adonai e, quando vem a tarde, toda a montanha esfumaça, troveja e se ilumina por uma formidável pirotecnia. O povo treme e se prosterna, crê sentir mover-se a terra, parece-lhe que os rochedos saltam como os carneiros e que as colinas são ondejantes como os rebanhos; depois, desde que o vulcão se apaga, desde que os trovões cessaram, como o taumaturgo tarda em aparecer, a multidão se insurge e quer a toda força que lhe deem seu Deus! Adonai faltou à sua promessa, é apupado e lhe propõem o bezerro de ouro. As flautas e tambores fazem a paródia das trombetas e do trovão, e o povo, vendo que as montanhas não dançam mais, põe-se a dançar por sua vez. Moisés, furioso, quebra as tábuas da lei e muda seu espetáculo no de um massacre imenso. A festa é afogada em sangue; a vil multidão, vendo o brilho da espada, começa a crer no do raio e não ousa mais erguer a cabeça para ver Moisés. O terrível legislador tornou-se fulgurante como Adonai, tem chifres como Baco e Júpiter Ámon, e, de ora em diante, só aparecerá coberto com um véu, a fim de que o temor seja durável e a fascinação se perpetue. De ora avante, ninguém resistirá impunemente a este homem, cuja cólera fere como o *simoun* e que tem o segredo das comoções fulminantes e das chamas inextinguíveis. Os sacerdotes do Egito tinham, sem dúvida, conhecimentos naturais, que só deviam chegar aos nossos muito mais tarde. Dissemos que os magos assírios conheciam a eletricidade e sabiam imitar o raio.

Com a diferença que há entre Júpiter e Tersita, Moisés tinha as mesmas opiniões que Marat. Pensava que, para a salvação de um povo, destinado a tornar-se a luz do mundo, algumas torrentes de sangue não deviam fazer recuar um pontífice do futuro. Que faltou a Marat para ser o Moisés da França? Duas grandes coisas: o gênio e o êxito. Aliás, Marat era um anão grotesco e Moisés era um gigante, se dermos crédito à divina intuição de Michelangelo.

Ousaríamos dizer que o legislador dos hebreus era um impostor? Ninguém é impostor, quando se devota. Este mestre que ousava dar tanta demonstração de onipotência sobre o instrumento terrível da morte, foi o primeiro a votar-se ao anátema para expiar o sangue derramado; levava seu povo a uma terra prometida onde sabia bem que não entraria. Desapareceu um dia no meio das cavernas e dos precipícios como Édipo na tempestade e nunca os admiradores do seu gênio puderam encontrar seus ossos.

Os sábios do Mundo Antigo, convencidos da necessidade do ocultismo, escondiam com cuidado as ciências que os tornavam até certo ponto senhores da natureza e só se serviam delas para dar ao seu ensino o prestígio da cooperação divina. Por que os censuraríamos? Não é o sábio plenipotenciário de Deus junto aos homens? E quando Deus lhe permite adormecer ou despertar seu raio, não é sempre ele que troveja pelo ministério do seu embaixador?

É preciso pôr em Charenton o homem tão louco para dizer: "Sei por uma ciência exata que Deus existe", porém seria ainda mais insensato aquele que ousasse dizer: "Sei que Deus não existe. Creio em Deus, porém não sei quem é ele". Eis, porém, milhares de homens, mulheres e crianças que se apresentam e vos dizem: "Eu o vi, o toquei; fiz mais ainda: eu o comi e o senti vivo em mim". Estranha fascinação de uma palavra absurda, se o é, e por isso mesmo, vitoriosamente convencedora, porque é capaz de fazer recuar a razão e despertar o entusiasmo: "Isto é a minha carne, isto é o meu sangue!"

Disse ele isso, o Deus que ia morrer para reviver em todos os homens. Por isso, homens de fé, só vós compreendeis como o próprio Deus devia morrer para nos fazer aceitar o mistério da morte.

Deus fez-se homem a fim de fazer Deus aos homens. Deus encarnado é a humanidade divinizada.

Quereis ver a Deus, olhai para vossos irmãos. Quereis amar a Deus, amai-vos, uns aos outros. Fé sublime e triunfante que vai inaugurar o reino da solidariedade universal, da caridade mais sublime, da adoração da infelicidade! O que fazeis ao menor, isto é, talvez ao mais ignorante, ao mais culpado dentre vossos irmãos, vós fazeis a mim e a Deus. Compreendestes isto, miseráveis inquisidores, quando torturastes a J. C., quando queimastes a Deus!

Certamente a poesia é maior que a ciência, e a fé é grandiosa e magnífica quando domina e subjuga a razão. O sacrifício do justo pelo culpado é desrazoável, porém a razão mais egoísta é obrigada a admirá-lo. Aqui está a grande fascinação do Evangelho, e confesso que, embora me acusem de um pouco de loucura, a mim, que sou inimigo dos sonhos, a mim, adversário das imaginações que querem impor-se ao saber, fico fascinado e quero ser, adoro fechando os olhos para não ver faíscas inimigas, porque não posso impedir-me de crer numa luz imensa, porém ainda velada, pela fé do amor infinito, que sinto acender-se no meu coração.

Todos os grandes sentimentos são fascinações e todos os verdadeiros grandes homens são fascinadores da multidão. **Magister dixit**. É o mestre que o disse. Eis aí a grande razão daqueles que nasceram para ser eternamente discípulos. **Amicus Plato, sed magis amica veritas**, gosto de Platão, porém prefiro a verdade: são palavras de um homem que se considera igual a Platão e que, por conseguinte, deve ser um mestre, e se possui, como Platão e Aristóteles, o dom de fascinar e apaixonar uma escola.

Jesus, falando dos homens da multidão, diz: "Quero que, olhando, não vejam e que, ouvindo, não entendam, porque temo sua conversão e teria medo de curá-los". Lendo estas terríveis palavras daquele que se sacrificou à filosofia, penso neste Crispino, de Juvenal, que disse: **A *vitiis ager solaque libidini fortis*.**

Esgotado por todos os vícios, deve um resto de força somente à febre da depravação. Que médico compassivo teria querido curar a febre de Crispino? Teria sido dar-lhe a morte.

Infelizes das profanas multidões que não são mais fascinadas pelo ideal dos grandes poderes! Infeliz do tolo que, permanecendo tolo, não crê mais na missão divina do padre, nem no prestígio providencial do rei! Porque lhe é necessária uma fascinação qualquer, sofrerá a do ouro e dos gozos brutais e será precipitado fatalmente fora de toda justiça e de toda verdade.

A própria natureza, quando se trata de forçar os entes a realizar seus grandes mistérios, age como soberana sacerdotisa e fascina ao mesmo tempo sentidos, espíritos e corações. Duas fatalidades magnéticas que se encontram formam uma providência invencível a que damos o nome de amor. A mulher então se transforma e torna-se uma sílfide, uma peri, uma fada, um anjo. O homem torna-se um herói e quase um Deus. São tão enganados estes pobres ignorantes que se adoram e que decepção preparam para a hora da sociedade e do despertamento! Atrasar esta hora é o grande arcano do casamento. É preciso a todo preço prolongar o erro, alimentar a loucura, eternizar a decepção incompreendida! A vida se torna então uma comédia em que o marido deve ser um sublime artista, sempre em cena, se não quiser ser escarnecido como o Pantaleão da farsa italiana e em que a mulher deve estudar a fundo o seu papel de grande casquilha e esconder eternamente os seus mais legítimos desejos, se não quiser que o homem aprenda a não desejá-la. Um bom lar é uma luta oculta de todos os dias; meio fatigante e difícil, porém único meio de evitar uma guerra aberta.

Há dois grandes poderes na humanidade: o gênio que fascina e o entusiasmo que vem da fascinação. Vede este homenzinho pálido que marcha à frente de um povo imenso de soldados; se lhe perguntássemos: "Para onde os levais?" "À morte!", poderia responder um transeunte desprovido de ilusões. "A glória!", exclamariam eles, levantando os bigodes e fazendo ressoar as braçadeiras das suas espingardas. Todos estes veteranos são crentes como Polyeucto; sofrem a fascinação de um casacão pardo e de um chapeuzinho. Por isso, quando passam, os reis os saúdam tirando a coroa e, quando os esmagam em Waterloo, juram contra a chuva da metralha como se se tratasse de um simples mau tempo e caem como uma só peça, lançando pela boca de Cambronne um desafio astuto à morte.

Existe um magnetismo animal, porém, acima deste, que é puramente físico, é preciso contar o magnetismo humano que é o verdadeiro magnetismo moral. As almas são polarizadas como os corpos e o magnetismo espiritual ou humano é o que chamamos a força de fascinação.

A irradiação de um grande pensamento ou de uma poderosa imaginação no homem determina um turbilhão atrativo que dá logo planetas ao sol intelectual, e aos planetas, satélites. Um grande homem no céu do pensamento é o foco de um universo.

Os entes incompletos que não têm a felicidade de sofrer uma fascinação inteligente caem por si mesmos sob o império das fascinações fatais; assim se produzem as paixões vertiginosas e as alucinações de amor próprio entre os imbecis e os loucos.

Há fascinações luminosas e fascinações negras. Os Tugues, uma sociedade secreta de assassinos e ladrões de viajantes da Índia são apaixonados pela morte. Marat e Lacenaire tiveram lacaios executores. Já dissemos que o diabo é a caricatura de Deus.

Definamos, agora a fascinação. É o magnetismo da imaginação e do pensamento. É a dominação que exerce uma vontade forte sobre uma vontade fraca, produzindo a exaltação das concepções imaginárias e influenciando o juízo nos entes que não chegaram ainda ao equilíbrio da razão.

O homem equilibrado é o que pode dizer: "Sei o que é, creio no que deve ser e nada nego do que pode ser". O fascinado dirá: "Creio no que as pessoas em que creio me disseram para crer. Creio porque amo certas pessoas e coisas". (Aqui podem colocar-se certas frases sempre comoventes e que nada provam: "A fé dos avós! A cruz da minha mãe!"). Noutros termos, o primeiro poderá dizer "Creio pela razão" e o segundo "Creio por fascinação".

Crer pela fé dos outros, isto pode ser permitido e isto deve até ser recomendado para as crianças. Se me disserdes que Bossuet, Pascal e Fenelon eram grandes homens e acreditavam em evidentes absurdidades, responder-vos-ei que tenho dificuldade em admiti-lo; mas, enfim, se isto fosse verdade, provaria somente que, nestas circunstâncias, estes grandes homens agiram como crianças.

Pascal, dizem, acreditava ver sempre um abismo aberto junto a ele. Parece-me que, sem faltar com o respeito ao gênio de Pascal, pode-se não crer no seu abismo. O homem fascinado perde seu livre-arbítrio e cai inteiramente sob a dominação do fascinador. Sua razão, que pode guardar inteira para certas coisas indiferentes, muda-se absolutamente em loucura desde que tenteis alumiá-lo sobre as coisas que lhe sugerem; não vê mais, nada mais ouve a não ser pelos olhos e ouvidos daqueles que o dominam; fazei-lhe tocar a verdade, ele vos sustentará que o que toca não existe. Crê, pelo contrário, ver a tocar o impossível que lhe afirmam. Santo Inácio compôs exercícios espirituais para cultivar este gênero de fascinação nos seus discípulos. Quer que todos os dias, no silêncio e na obscuridade, o noviço da Companhia de Jesus exerça sua imaginação em criar a figura sensível dos mistérios que procura ver e que vê, de fato, num sonho voluntário e desperto, que o enfraquecimento do seu cérebro pode tornar uma espantosa realidade, como todos os pesadelos de Santo Antônio e todos os horrores do inferno. Em semelhantes exercícios, o coração se endurece e se atrofia de terror, a razão vacila e se apaga. Inácio destruiu o homem, porém fez um jesuíta, e o mundo inteiro vai ser menos forte que este temível androide.

Nada é tão implacável como uma máquina. Uma vez montada, ela não para mais, a não ser que seja quebrada.

Criar milhares de máquinas que podem ser montadas pelas palavras e que vão através do mundo realizar, por todos os meios possíveis, o pensamento do maquinista, eis aí a obra de Santo Inácio de Loyola. É preciso confessar que sua invenção é muito maior que a máquina matemática de Pascal.

Porém, é moral esta obra? Sim, certamente, no pensamento do seu autor e de todos os homens tão devotados ao que creem o bem para se tornarem, assim, todos cegos e autômatos sem autonomia. Nunca o mal apaixonará os homens a tal ponto, nunca a própria razão e o simples bom senso tomarão neles uma tal exaltação. A filosofia jamais terá semelhantes soldados. A democracia pode ter partidários e mártires, mas nunca terá verdadeiros apóstolos capazes de sacrificar para ele seu amor-próprio e sua personalidade inteira. Conheci e conheço ainda democratas honestos. Cada um deles representa exatamente a força de um indivíduo isolado. O jesuíta se chama legião. Por que é tão frio o homem quando se trata da razão e tão ardente quando é preciso combater por uma quimera? É que o homem, apesar de todo o seu orgulho, é um ente defeituoso; é que não ama sinceramente a verdade; é que, pelo contrário, adora as ilusões e as mentiras.

Vendo que os homens são loucos, disse São Paulo, quisemos salvá-los pela própria loucura, impondo o bem à cegueira da sua fé. Eis aí o grande arcano do catolicismo de São Paulo, enxertado no Cristianismo de Jesus e completado pelo jesuitismo de Santo Inácio de Loyola. É preciso absurdidades à multidão. A sociedade se compõe de um pequeno número de sábios e de uma multidão imensa de insensatos. Ora, é para desejar-se que os insensatos sejam governados pelos sábios.

Como fazer para chegar a isso? Desde que o sábio se mostra como é, repelem-no, caluniam-no, exilam-no, crucificam-no. Os homens não querem ser convencidos, esperam imposições; é preciso pois, que o apóstolo se resigne às aparências da impostura para revelar, isto é, para regenerar a verdade no mundo, dando-lhe um novo véu. Que é de fato um revelador? É um impostor desinteressado que, para levar de um modo disfarçado ao bem, engana a vil multidão. Que é a vil multidão? É a turba imensa dos tolos, imbecis e loucos, sejam quais forem, aliás, seus títulos, seus lugares na sociedade e suas riquezas.

Sei que falam muito de progresso indefinido, que chamarei, de preferência, indefinível, porque se os conhecimentos aumentam na espécie humana, a raça evidentemente não melhora. Dizem também que, se a instrução fosse espalhada legalmente, todos os crimes desapareceriam, como se necessariamente a instrução devesse tornar melhores os homens, como se Robespierre e Marat, estes terríveis discípulos de Rousseau, não tivessem recebido uma instrução superior à do próprio Rousseau. O abade Coeur e Lacenaire foram educados no mesmo colégio. O Sr. de Praslin, os doutores Castany e Lapommeraye, tinham alcançado todos os benefícios da educação moderna. Eliçabide tinha feito seus estudos no seminário. Os celerados instruídos são os mais completos e espantosos de todos os celerados e nunca a sua instrução impediu-lhes de fazer o mal, ao passo que vemos homens simples e iletrados praticar sem esforço as mais admiráveis virtudes. A educação desenvolve as faculdades do homem e lhe dá o meio de satisfazer suas inclinações, porém não o muda. Ensinai as matemáticas e a astronomia a um tolo: talvez fareis dele um Leverrier, porém nunca um Galileu.

A atual raça humana se compõe de alguns homens e de um enorme número de entes mistos que participam um pouco do homem e muito do orangotango ou do gorila. Existem outros, todavia, que poderiam reivindicar a semelhança dos macacos menos enormes e mais belos: são estes amáveis conquistadores que servem de machos e de Jocrises às nossas meretrizes. Pergunto eu se Deus pode ter um paraíso para estes animais ou se teria a coragem de condená-los ao inferno.

Quando estas bestas estão a ponto de morrer, eis que seu pequeno lado humano se desperta e os atormenta, chamam um padre, o padre vem, e por que não virá ele?

A caridade não quer que se apaguem as faíscas, mas que dizer-lhes? Nada compreenderão de razoável; é preciso fasciná-los por sinais, unções de óleo, bênçãos, absolvições *in extremis*. Uma estola bordada, um belo cibório vermelho. Dizem o que se lhes faz dizer, deixam fazer tudo o que se lhes quer fazer, e morrem tranquilos com a bênção da Igreja. Não está escrito no Evangelho que Deus salvará os homens e os animais? **Hominis et jumenta salvabi Domini.**

As criações da Natureza são progressivas na sucessão das espécies e das raças e as espécies crescem e decrescem com os impérios e os indivíduos. Todos os povos que brilharam começam progressivamente a apagar-se e a humanidade inteira terá a sorte das nações. Quando os homens meio animais tiverem desaparecido no próximo cataclismo, aparecerá, sem dúvida, uma nova raça de entes sábios e fortes que serão para a nossa espécie o que somos para a dos macacos.

Só então as almas serão verdadeiramente imortais, porque se tornarão dignas e capazes de conservar a recordação.

Enquanto esperamos, é certo que a espécie humana atual, longe de progredir, degenera. Um espantoso fenômeno se realiza nas almas, os homens não têm mais o sentimento divino e as mulheres que não são máquinas de vaidade e luxúria só procuram na fé, que desejam seja absurda, mais que um refúgio contra a razão que as aborrece. A poesia morreu nos corações. Nossa juventude lê Victor Hugo, porém não admira nesse grande poeta senão os esforços da palavra e os exemplos citados do pensamento; no fundo, prefere Proudhon, encontra um pouco de mais sensibilidade em Renan e considera como homens sérios Taine e os doutores Grenier e Buchner. No teatro, fingem com excesso todos os sentimentos generosos de outrora; não é mais a vigorosa gargalhada de Rabelais corrigindo a tolice humana: é a risota zombeteira de mau gosto que insulta todas as virtudes.

Acontece com o amor como com a honra: é um velho santo que não mais se guarda. O próprio nome do maior sentimento que a Natureza possa inspirar não está mais em voga na conversação das pessoas de bem e, talvez, logo cairá no vocabulário obsceno. Em que pensam as moças mais honestas e mais vigiadas, por exemplo, aquelas que são educadas no convento dos Pássaros ou do Sagrado Coração? Será nas carícias de uma afeição mútua? Ora essa, seria necessário confessar-se por isso e ninguém ousaria dizê-lo às companheiras. Elas pensam nos esplendores de um casamento rico, sonham com uma carruagem e um castelo. Com isto, haverá certamente um marido com o qual haverá necessidade de acomodar-se; porém, contanto que tenha nome, saiba apresentar-se bem e coloque bem a sua gravata, será mais que suficiente.

Não sou misantropo e não faço aqui a sátira do meu século; verifico um enfraquecimento moral na espécie humana para concluir daí que o magismo está mais que nunca em tempo e que, com tão pobres entes, é preciso fascinar para triunfar.

Encontram-se no Evangelho preceitos cuja sublimidade podia ser perfeitamente apreciada outrora e que seriam quase ridículos hoje, porque os homens não são mais os mesmos.

Vai-te assentar no último lugar, diz Jesus, e te convidarão a passar para o primeiro.

Se te assentares no último lugar, aí ficarás e será bem feito, responde a isto o mundo moderno.

Se quiserem tirar-te a túnica, dá também teu manto, diz o Evangelho. E quando ficares nu, Roberto Macário* te abençoará e um guarda civil te levará ao posto, por ultraje aos bons costumes, responde o lógico implacável.

---

* Personagem da peça "O Albergue dos Adrest". Tipo do ladrão audacioso e fanfarrão. (N. do T.)

– Não penseis no dia de amanhã, diz o Salvador. – E o dia que seguir aquele em que a miséria vos surpreender, ninguém pensará em vós, responde o mundo.

– Procurai o reino de Deus e sua justiça e o resto vos será dado por acréscimo.

– Sim, quando o tiverdes encontrado, porém não enquanto procurais e temo que procurareis muito tempo.

– Infelizes dos que riem, porque eles chorarão; felizes dos que choram, porque rirão.

– Salvo vosso respeito, Nosso Senhor, isto é uma redouça, é como se dissésseis: felizes dos doentes porque esperam a saúde e infelizes dos sadios porque esperam a doença. Se os que riem são infelizes e se nada tendes a prometer aos que choram senão a infelicidade de rir por sua vez, quem será verdadeiramente feliz?

– Não resistais ao malvado; se alguém vos fere numa face, apresentai-lhe a outra.

– Máxima positivamente imoral. Não resistir ao mau é ser seu cúmplice. Apresentar a outra face a quem vos fere injustamente é aprovar seu atentado e provocar um segundo, e, quando tiverdes apresentado a outra face e recebido um segundo bofetão, que vos resta fazer? Bater-vos com o agressor? Então para que esperar o segundo ultraje? Voltar-lhe as costas para receber um pontapé um pouco mais embaixo? Seria ignóbil e grotesco.

Eis o que responderam às máximas talvez mais sublimes do Evangelho o espírito do nosso século, se fosse bastante leal, bastante corajoso para falar tão livremente. Há e devia haver, nos nossos dias, um imenso mal-entendido entre Jesus Cristo e os homens. O nosso século não tem mais o sentimento do sublime e não compreende mais os heróis. Garibaldi não é, para os nossos homens de Estado, mais que uma encarnação pouco divertida de Dom Quixote.

É um polichinelo sério, que, depois de ter batido alguns delegados e ter-se debatido entre as unhas cautelosas do gato, acabará, um dia, por ser levado pelo diabo com grande hilaridade dos espectadores.

O mundo está sem religião, disse o conde José de Maistre, e é por isso acrescentaremos nós, que mais do nunca tem necessidade de prestígios e escamoteadores.

Quando a gente não crê no padre, crê no feiticeiro, e escrevemos os nossos livros principalmente para uso dos padres a fim de que, tornando-se verdadeiros magos, não tenham mais a temer uma concorrência ilegal da parte do feiticeiro. O autor deste livro pertence à grande família sacerdotal e nunca o esqueceu.

Que os padres se tornem homens de ciência e que, pela grandeza de caráter, causem admiração a um mundo degenerado; que se coloquem acima dos pequenos interesses e das pequenas paixões; que façam milagres de filantropia, e o mundo se colocará a seus pés; que façam até outros milagres; que curem os doentes ao tocá-los, como o zuavo Jacó o fez; numa palavra, que aprendam a fascinar e aprenderão a reinar.

A fascinação representa um grande papel na medicina, a grande reputação de um médico cura de antemão seus doentes. Um descuido do Sr. Nelaton (se o ilustre prático fosse capaz de fazê-lo) talvez seria mais bem-sucedido que toda a habilidade de um cirurgião ordinário. Referem que um médico célebre, tendo escrito a fórmula de um emplasto para um homem que sofria violentas dores, disse à enfermeira: "Ides aplicar-lhe isso imediatamente no peito", e entregou-lhe o papel. A boa mulher, que era mais que simples, julgou que aquilo significava a própria receita e aplicou-a completamente quente no seu doente com um pouco de semente de linho; o doente sentiu-se imediatamente aliviado e no dia seguinte estava curado.

É assim que os grandes médicos curam os nossos corpos e é da mesma maneira que os padres acreditados chegam a curar as nossas almas.

Quando falo neste capítulo de um começo de decadência humana, não entendo por isso senão fenômenos que posso observar e não concluo do enfraquecimento de uma raça à decadência da espécie inteira. Apesar de tão tristes sintomas, espero ainda um progresso antes da destruição ou transformação do homem. Creio que o Messianismo virá primeiro e reinará durante uma longa série de séculos. Espero que a espécie humana dirá sua última palavra de modo diferente do que o fez nas civilizações de Ninive, Tyro, Babilônia, Atenas, Roma e Paris. O que poderiam tomar como decrepitude, quero crer que são os cansaços da infância. Porém, o próprio Messianismo não é a doutrina da eternidade; haverá, diz S. João, um novo céu e uma nova terra. A nova Jerusalém só virá por novos povos superiores aos homens de hoje, depois haverá ainda mudanças. Quando o nosso sol for um planeta opaco de que seremos satélite, quem sabe onde estaremos então e sob que forma viveremos? O que é certo é que o ente é o ente; que ele não sai do nada e do qual, por conseguinte, nada pode sair. E que não voltará a este nada do qual não pôde sair. Tudo o que existe, existiu e existirá.

Eheih ascher Eheih אהיה רשא היהא

Voltemos à fascinação e ao meio de produzi-la. Este meio está inteiramente na força de uma vontade que se exalta, sem tensão e persevera com calma.

Não sejais louco e chegai a crer com razão que sois alguma coisa de grande e forte; os fracos e os pequenos vos tomarão necessariamente pelo que credes ser. É apenas um assunto de paciência e tempo.

Dissemos que existe uma fascinação puramente física que pertence ao magnetismo; algumas pessoas são naturalmente dotadas dela e pode-se adquirir a faculdades de exercê-la pela exaltação gradual do aparelho nervoso.

O célebre Sr. Home que, às vezes, explorou talvez como charlatão esta faculdade excepcional, a possui sem poder compreendê-la, porque é de uma inteligência limitadíssima em tudo o que se refere à ciência. O zuavo Jacó é um fascinador ingênuo que crê na cooperação dos espíritos. O hábil prestidigitador Roberto Houdin une a fascinação à esperteza. Um grande senhor que conhecemos, tendo-lhe um dia pedido lições de magia branca, Roberto Houdin lhe ensinou certas coisas, porém reservou outras que declarou não poder ensinar. "São coisas inexplicáveis para mim, diz ele, e que provêm da minha natureza pessoal; se eu vo-las dissesse, nem por isso saberíeis mais e eu não vos poderia pôr em estado de exercê-las."

É, para servir-me da expressão vulgar, a arte ou faculdade de lançar pó aos olhos. Vemos que todas as magias têm arcanos indizíveis, mesmo a magia branca de Roberto Houdin.

Dissemos que é um fato de alta filantropia fascinar os imbecis para fazer-lhes aceitar a verdade como se fosse uma mentira e a justiça como se fosse a parcialidade e o privilégio de deslocar os egoísmos e desejos, fazendo esperar àqueles que se sacrificam nesse mundo uma herança imensa e exclusiva no céu.

Porém, devemos dizer também que todos aqueles que se julgam dignos de ter o nome de homens devem, ao mesmo tempo que respeitam o erro das crianças e dos fracos, empregar todos os esforços da sua razão e inteligência para escaparem da fascinação.

É cruel ser desiludido quando nada substitui a ilusão e quando as miragens desaparecidas e os fogos fátuos que se apagaram deixam a alma nas trevas.

É melhor crer em absurdidades do que não crer em nada; é melhor ser um iludido do que um cadáver. Porém, a sabedoria consiste numa ciência tão sólida e numa fé tão razoável para excluir a dúvida. A dúvida é, de fato, a apalpadela da ignorância. O sábio sabe certas coisas; o que sabe leva-o a supor a existência do que não sabe. Esta suposição é a fé que não tem menos certeza que a ciência quando ela tem por objeto hipóteses necessárias e enquanto não define temerariamente o que é indefinível.

Um homem verdadeiramente homem compreende os prestígios sem sofrê-los, acredita na verdade sem trovão e sem trombetas, e para pensar em Deus não tem mais necessidade de uma tábua de pedra que de uma arca ou de um bezerro. Nem mesmo tem necessidade de sentir que deve ser justo, que lhe falem de um grande remunerador ou de um eterno vingador. É perfeitamente advertido pela sua consciência e pela sua razão. Se lhe disserem que, sob pena de um eterno tormento, deve admitir que três fazem um, que um homem ou um pedaço de pão é um Deus, sabe perfeitamente como considerar a ameaça e se guarda bem de zombar do mistério antes de estudar sua origem e de conhecer seu alcance. A ignorância que nega parece-lhe, ao menos, tão temerária como a ignorância que afirma, porém nunca se admira de coisa alguma e quando se trata de questões obscuras nunca escolhe seu partido com precipitação.

Para escapar à fascinação das coisas é preciso não ignorar suas vantagens e seus encantos.

Sigamos neste ponto os ensinamentos de Homero. Ulisses não se priva de ouvir o canto das sirenas, somente toma as medidas mais eficazes para que este prazer não o atrase na sua viagem e não o arraste a romper-se nos escolhos. Derrama o copo de Circe e a intimida com sua espada, porém não se recusa às carícias que lhe impõe em vez de compará-las ou suportá-las. Destruir a religião porque existem superstições perigosas seria suprimir o vinho para escapar aos perigos da embriaguez e recusar-se aos gozos do amor para evitar os seus desvios e furores.

Como dissemos, o dogma tem duas faces, uma de luz e outra de sombra; sigamos a luz e não procuremos destruir a sombra, porque a sombra é necessária à manifestação da claridade. Jesus disse que os escândalos são necessários e talvez, se nos apertassem muito, devíamos dizer que são necessárias as superstições. Não se poderia insistir demais sobre esta verdade tão desconhecida nos nossos dias, apesar da sua incontestável evidência, e é que se todos os homens devem ser iguais diante da lei, as inteligências e as vontades certamente não são iguais.

O dogma é a grande epopeia universal da fé, da esperança e do amor, a poesia das nações, é a flor imortal do gênio da humanidade, é preciso cultivá-lo e conservá-lo inteiro. Não se deve perder uma palavra, não devemos separar dele um símbolo, um enigma ou uma imagem. Uma criança a quem se lhe tenha ensinado as fábulas de La Fontaine e que tivesse acreditado ingenuamente até a idade de sete anos que as formigas podem falar com cigarras devia rasgar ou lançar ao fogo o livro encantador que lhe deu sua mãe, quando é bastante inteligente, enfim, para compreender que não se pode, sem impostura e sem loucura, atribuir discursos razoáveis aos entes que não falam e que são desprovidos de razão?

A respeito do dogma, é preciso ajuntar o da autoridade, isto é, da hierarquia à qual é preciso submeter-se exteriormente, quando é somente exterior, e interiormente, quando é real. Se a sociedade ou a Igreja me deu por mestre um homem que sabe menos que eu, devo calar-me diante dele e agir conforme minhas próprias luzes; porém se for mais sábio, melhor que eu, devo ouvi-lo e aproveitar os conselhos.

Para escapar das fascinações dos homens e das mulheres, nunca prendamos todo o nosso coração às individualidades inconstantes e perecíveis. Amemos nos entes que passam as virtudes que são imortais e a beleza que floresce sempre. Se o pássaro que amamos voa para longe, não tomemos aversão a todos os pássaros e, se as rosas que colhemos e cujo perfume gostamos de respirar murcham entre nossas mãos, não acreditemos por isso que todas as roseiras morreram e todas as primaveras não têm flores. Uma rosa morre muito depressa, porém a rosa é eterna. Deve um músico renunciar à música porque quebrou seu violino? Existem pássaros cuja natureza é tal que não podem suportar o inverno: é-lhes necessário uma primavera eterna e, só para eles, a primavera jamais cessa na Terra. São as andorinhas e sabeis como fazem para que este prodígio se realize naturalmente em favor delas. Quando a bela estação acaba, elas voam para a bela estação que começa e, quando a primavera não está mais onde elas estão, vão para onde está a primavera.

Capítulo XIV

A INTELIGÊNCIA SOMBRIA

Aqueles a quem os iniciados têm o direito de chamar profanos, a vil multidão, isto é, a multidão dos enfermos e dos perversos de inteligência e de coração, aqueles que adoram o deus da sombra ou que creem adorar o ateísmo, todas essas pessoas ouvem sempre sem entender, porque são presunçosas e de má fé. O próprio dogma que lhe apresentam sob uma forma absurda para agradar-lhes, elas o compreendem sempre de modo mais absurdo e geralmente ao revés da sua fórmula.

Assim, quando repetem maquinalmente que há um só Deus em três pessoas, examinai-os bem, e vereis que entendem por isso uma só pessoa em três deuses.

Ouviram dizer e repetem que Deus, isto é, o princípio infinitamente bom está em toda parte, porém admitem espaços tenebrosos e imensos em que Deus não está, porque aí se sofre a pena do dano, ou seja, a privação de Deus. Que faríeis vós, perguntou o teólogo Thanler a um pobre homem ou antes a um homem pobre, porque o pobre homem era o teólogo, que faríeis vós se Deus quisesse precipitar-vos no inferno? – Eu o arrastaria comigo, respondeu o sublime indigente, e o inferno se tornaria céu.

O teólogo admirou esta resposta, mas certamente não a compreendeu.

– Sim, vai dizer um doutor da lei. Deus está no inferno, porém somente como vingador.

– Dizei como algoz e suprimamos o diabo de que não tendes mais necessidade; será sempre o mesmo ganho.

Quando falam de redenção, compreendem que Deus, tendo, num movimento de cólera (não por causa das ameixas, mas por causa duma maçã), dado todos os seus filhos ao diabo, para resgatá-los, foi obrigado a sofrer a morte, sem cessar, por isso, de ser imutável e eterno.

Se lhes falais de Cabala, julgarão sempre que se trata de um grimório cifrado que faz vir o diabo e que governa o mundo fantástico dos silfos, dos gnomos, das salamandras e das ondinas. Trata-se da magia? Ainda estão na baqueta e no copo de Circe que muda os homens em porcos; de bom grado combinaram Zoroastro com Maomé e, quanto a Hermes Trismegisto, pensam que é um nome bizarro de que a gente se serve para mistificar os ignorantes como o de Papão para fazer medo às crianças.

A ignorância tem sua ortodoxia como a fé e a gente é herege diante dos falsos sábios quando conhece as coisas que ignoram. Isso porque não há verdades novas e os sábios deste mundo apoiam sua autoridade na velhice do erro.

Aliás, é sabido que os erros recebidos apoiam quase sempre as posições feitas. É assim que respondes ao soberano pontífice?! – exclama um criado, esbofeteando a Jesus que acabava de falar com uma firmeza respeitosa. Como homem nulo, é a autoridade que prova sua ignorância, acusando-te e pretendes saber o que ela ignora? O pontífice se engana e tu o descobres? Ele delira e tomas a liberdade de ter razão?

Napoleão I detestava os ideólogos porque era o maior ideólogo do mundo. Queria fazer dinâmica sem resistência; por isso, a força de resistência lhe faltou, quando a força de impulsão agressiva, que fora por tanto tempo sua, voltou-se repentinamente contra ele.

Desde as origens da história, vemos que é sempre a mentira que reina na Terra; é exato também que a verdade governa a grandes golpes de desastres e flagelos. Cruel e inflexível verdade! Não nos admiremos de que os homens não a amem! Ela destrói as ilusões dos reis e dos povos e se, às vezes, tem alguns ministros devotados, expõem-nos e os abandonam à cruz, à fogueira, ao cadafalso. Felizes, todavia, dos que morrem por ela! Porém, mais sábios serão sempre aqueles que a servem tão habilmente para não romper-se contra o pedestal do martírio. Rabelais foi certamente maior filósofo que Sócrates, quando soube, ocultando a si mesmo sob a máscara de Aristófanes, escapar à raça sempre vivente dos Amitos e Melitos.

Galileu, cujo nome por si só vota o tribunal da Santa Inquisição a uma eterna irrisão, foi homem de muito espírito para não afrontar a tortura e a prisão. As correspondências do tempo no-lo mostram prisioneiro num palácio, bebendo com os inquisidores e assinando **inter pocula** seu ato irônico de abjuração, longe de dizer, batendo com o pé no chão e serrando os punhos: **Eppur si muove.** Dizem que acrescentou: – Sim, afirmo pela vossa palavra que a Terra é imóvel e acrescentarei, se o quiserdes, que os céus são de vidro, e prouvera a Deus que as vossas frontes também para deixar passar a luz; Rabelais teria terminado, dizendo: "E bebamos novamente!"

Morrer para provar a loucos que dois e dois são quatro não seria o mais ridículo dos suicídios? Diante de um teorema demonstrado, não podendo mais ser negado, a abjuração de uma verdade matemática se torna evidentemente farsa e momice, cujo ridículo cai sempre sobre aqueles que podem exigi-lo seriamente em nome de uma autoridade considerada infalível. Galileu, indo à fogueira para protestar contra a Igreja, teria sido um heresiarca. Galileu, abjurando como católico o que tinha demonstrado como sábio, matou o catolicismo da Idade Média.

Alguém apresentou, um dia, ao autor deste livro um artigo do **Syllabus**, dizendo-lhe: "Escutai, eis aqui a condenação formal das vossas doutrinas. Se sois católico, admiti isto e queimai os vossos livros; se, pelo contrário, persistis no que ensinastes, não nos faleis mais da vossa catolicidade.". O artigo do **Syllabus** é o sétimo da seção segunda e as doutrinas que condenais são estas:

"As profecias e os milagres, expostos e relatados nas santas escrituras são ficções poéticas e os mistérios da fé cristã são o resumo de investigações filosóficas; nos livros dos dois testamentos estão contidas invenções místicas e o próprio Jesus é um mito."

Surpreendi muito aquele que julgava confundir-me, dizendo-lhe que não eram tais as minhas doutrinas.

Eis aqui, disse-lhe eu, o que ensino ou antes o que a Igreja, a ciência e eu reconhecemos:

"As profecias e os milagres expostos e relatados na Escritura o são sob uma forma poética particular ao gênio dos orientais. Os mistérios da fé cristã são confirmados e explicados, na sua expressão, pelas investigações filosóficas. Nos livros dos dois testamentos, estão contidas parábolas e o próprio Jesus foi assunto de um grande número de parábolas e lendas.".

Submeto sem temor estas proposições ao papa e ao futuro Concílio. Estou de antemão bem certo que não as condenarão.

O que a Igreja não quer e tem mil vezes razão de não querer é que afetem contradizê-la, e, de fato, sua infalibilidade sendo necessária à manutenção da paz no mundo cristão, é preciso que esta infalibilidade lhe seja conservada a todo preço. Assim, se ela dissesse que dois e dois são três, eu me guardaria de dizer que ela se engana. Procuraria como e de que modo dois e dois podem fazer três, e procuraria a fim de encontrá-lo, ficai certo disso. Como, por exemplo, isto: duas maçãs e duas metades de maçãs fazem três maçãs. Quando a Igreja parece emitir uma absurdidade, é simplesmente um enigma que propõe, para experimentar a fé dos seus fiéis.

Será certamente um grande e comovente espetáculo o do próximo concílio geral em que a rainha do velho mundo, envolvendo-se na sua púrpura despedaçada, se afirmará mais soberana que nunca no momento de cair do trono e proclamará seus direitos aumentados com pretensões novas em face de uma espoliação iminente. Os bispos serão, então, como estes marinheiros do **Vengeur,** que, numa embarcação próxima a afundar, se irritavam em vez de entregar-se e faziam a sua última descarga prendendo a sua bandeira ao último pedaço do seu grande mastro.

Aliás, bem sabem que uma transação os perderia para sempre e que a chama dos altares se apagaria no mesmo dia em que os altares cessassem de estar na sombra. Quando o véu do templo se rasga, os deuses vão-se embora e voltam, quando novos tecidos dogmáticos fizerem um novo véu.

A noite recua sem cessar diante do dia, porém é para invadir do outro lado do hemisfério as regiões que o sol abandona. É preciso trevas, é preciso mistérios impenetráveis a esta inteligência negra que crê no absurdo e contrabalança o despotismo da razão limitada pelas audácias incomensuráveis da fé. O dia circunscreve os horizontes e faz ver os limites do mundo; é a noite sem limites, com sua imensa confusão de estrelas, que nos faz conceber o sentimento do infinito.

Estudai a criança; é o homem saindo das mãos da natureza, para falar a linguagem de Rousseau, e vede quais são as disposições do seu espírito. As realidades o aborrecem, as ficções o exaltam, compreendem tudo, exceto as matemáticas e crê mais nas fábulas que na história. É que há infinito no primeiro sorriso da vida, é que o futuro nos aparece tão maravilhoso no princípio da existência que naturalmente sonhamos com gigantes e fadas no meio de tantos milagres. É que o sentido poético, o mais divino dos sentidos do homem, lhe apresenta a princípio o mundo como uma nuvem do céu. Este sentido é uma branda loucura muitas vezes mais sábia que a razão, se puder falar desta forma, porque a nossa razão tem sempre como estreitos limites as barreiras que a ciência procura lentamente afastar, ao passo que a poesia salta com os olhos fechados no infinito e aí lança profundamente todas as estrelas dos nossos sonhos.

A obra da Igreja é conter em justos limites as crenças da loucura infantil. Os loucos são crentes indisciplinados e os crentes fiéis são loucos que reconhecem a autoridade da sabedoria representada pela hierarquia.

Que a hierarquia se torne real, que os condutores dos cegos não sejam mais cegos e a Igreja salvará a sociedade, readquirindo, para não mais perdê-las, as suas grandes virtudes e seu poder.

A própria ciência tem necessidade da noite para observar a multidão dos astros. O sol nos esconde os sóis, a noite no-los mostra e parecem florescer no céu obscuro como as inspirações sobre-humanas aparecem nas trevas da fé. As asas dos anjos se mostram brancas durante a noite; durante o dia, elas são pretas.

O dogma não é irracional, é extrarracional ou suprarracional e sempre resumiu as mais altas aspirações da filosofia oculta. Lede a história dos concílios; vereis sempre nas tendências dos heresiarcas uma aparência de progresso e de razão. A Igreja parece sempre afirmar o absurdo e dar ganho de causa à inteligência negra. Assim, quando Arios julga salvaguardar a unidade divina imaginando uma substância análoga, porém superior à existência de Deus (a substância de Deus que é imaterial e infinita), a Igreja proclama em Niceia a unidade de Deus. Quando querem fazer de Jesus Cristo uma personagem híbrida composta de uma pessoa divina e de uma pessoa humana, a Igreja repele este amálgama do finito e do infinito e declara que só pode haver uma pessoa em Jesus Cristo.

Quando Pelágio, exagerando no homem o orgulho e as obrigações do livre-arbítrio, vota de um modo irremediável a massa dos pecadores ao inferno, a Igreja afirma a graça que opera a salvação dos injustos e que, pelas virtudes da eleição, supre às insuficiências dos homens. As prerrogativas concedidas à virgem mãe de Deus indignam os medíocres prudhommianos protestantes e não veem que, nesta adorável personificação, é a humanidade que arranca das manchas do pecado original, é a geração que reabilitam. Essa mulher que elevam é a mãe que glorificam: – **Credo in unam sanctum catholicam et apostolicam ecclesiam.**

O dogma católico, isto é, universal, se assemelha a esta nuvem que precedia os israelitas no deserto, obscura durante o dia e luminosa durante a noite. O dogma é o escândalo dos falsos sábios e a luz dos ignorantes. A nuvem, na passagem do Mar Vermelho, colocou-se, diz o Êxodo, entre os hebreus e egípcios, esplêndida para Israel e tenebrosa para o Egito; sempre foi assim para o dogma universal que só os iniciados devem compreender. É ao mesmo tempo sombra e luz. Para suprimir a sombra das pirâmides, era preciso derrubar as pirâmides; o mesmo acontece com as obscuridades do dogma eterno.

Dizem e repetem todos os dias que a reconciliação é impossível entre a religião e a ciência. Enganam-se na palavra; não é conciliação, é fusão ou confusão que se deve dizer. Se até agora a ciência e a fé pareceram inconciliáveis é que sempre procuravam em vão misturá-las e confundi-las. Há só um meio de conciliá-las: é distingui-las e separá-las uma da outra de um modo completo e absoluto. Consultar o papa quando se trata da demonstração de um teorema ou submeter a um matemático uma distinção teológica seriam duas absurdidades equivalentes. A imaculada concepção da Virgem não é uma questão de embriologia e a tábua de logaritmos nada tem de comum com as tábuas da lei. A ciência é forçada a admitir o que é demonstrado e a fé, quando é regulada por uma autoridade que é razoável e até necessário admitir, nada pode rejeitar do que é artigo de fé. A ciência nunca demonstrará que Deus e a alma não existem e a Igreja foi forçada a desdizer-se diante dos sistemas de Copérnico e de Galileu. Prova isto que ela pode enganar-se em matéria de fé? Não, mas sim que deve permanecer no seu domínio. Ela não pretende que Deus lhe tenha revelado os teoremas da ciência universal.

O que pode ser observado pela ciência são os fenômenos que a fé produz e, então, conforme a palavra do próprio Jesus Cristo, pode julgar da árvore pelos frutos. É evidente que uma crença que torna melhores os homens, que não eleva os seus pensamentos, que não engrandece a sua vontade unicamente no bem, no belo e no justo, é uma crença má ou pervertida. O judaísmo de Moisés e da Bíblia fez o grande povo de Salomão e dos macabeus. A judiaria dos Rabinos e do último Talmude fez os sórdidos usurários que envenenam o Gueto.

O catolicismo tem também seu Talmude corrompido; é a mixórdia insensata dos teólogos e casuístas, é a jurisprudência dos inquisidores, é o misticismo nauseabundo dos capuchinhos e das beatas. Nessas doutrinas anticristãs e impuras, se apoiam interesses materiais e vergonhosos. É contra isso que é preciso protestar por todas as formas e não contra a majestade dos dogmas.

Desde os primeiros séculos, quando a religião foi protegida e manchada pelo Império, cristãos que a Igreja chama santos, puseram o deserto entre eles e seus altares. Contudo, eles a amavam com toda a sua alma, porém iam orar e chorar longe dela. Aquele que escreve este livro é um católico do deserto.

A Tebaida nada tem de horrível: contudo, preferiu sempre a abadia de Teleme, cujo fundador foi Rabelais, à ermida de Santo Antônio. A humanidade não tem mais necessidade de ascetas; ela precisa de sábios e de trabalhadores que vivem com ela e para ela; a salvação nos nossos dias só pode ser alcançada por esta forma.

Há na Cabala do Rabi Schimeon ben Jochai um Deus branco e um Deus negro; há na natureza homens negros e homens brancos e há também na filosofia oculta uma inteligência branca e uma inteligência negra.

Para ter a ciência da luz, é preciso saber calcular a intensidade e a direção da sombra. Os pintores mais sábios são os que compreendem a luz obscura.

Para ensinar bem, é preciso colocar-se no lugar daqueles que compreendem mal.

A inteligência negra é a adivinhação dos mistérios da noite, é o sentimento da realidade das formas do invisível. É a crença na possibilidade vaga. É a luz no sonho. Durante a noite, todos os entes são como cegos, exceto os que, como a coruja, o gato e o lince, têm fósforo nos olhos. Durante a noite, a coruja devora os pássaros indefesos; tenhamos olhos de lince para combater as corujas, porém não incendiemos as florestas sob pretexto de alumiar os pássaros.

Respeitemos os mistérios da sombra ao mesmo tempo que conservamos a nossa lâmpada acesa e saibamos até rodeá-la com um véu para não atrair os insetos que, durante a noite, gostam de beber o sangue do homem.

Capítulo XV

O GRANDE ARCANO

O grande arcano, o arcano indizível, o arcano perigoso, o arcano incompreensível, pode ser formulado definitivamente assim:

É a divindade do homem.

É indizível porque, desde que se quer dizê-lo, sua expressão é uma mentira e a mais monstruosa das mentiras.

De fato, o homem não é Deus. Contudo, a mais ousada, a mais obscura e, ao mesmo tempo, a mais esplêndida das religiões nos diz para adorarmos o homem-Deus.

Jesus Cristo, que ela declara verdadeiro homem, homem completo, homem finito, homem mortal como nós, é, ao mesmo tempo, completamente Deus e a teologia ousa proclamar a comunicação dos idiomas, isto é, a adoração dirigida à carne. A eternidade afirmada quando se trata daquele que morre, a impossibilidade daquele que sofre, a imensidade daquele que se transfigura, o finito tomando a virtualidade do infinito, o Deus homem, enfim, que oferece a todos os homens fazê-los Deus.

A serpente tinha dito: ***Eritis sicut dii.*** Jesus Cristo, esmagando a cabeça da serpente sob o pé encantador de sua mãe, ousa dizer: ***Eritis nos sicut dii, non sicut Deus sed eritis Deus!***

Sereis Deus, porque Deus é meu pai, meu pai e eu somos um e quero que vós e eu sejamos um: *Ut omnes unum sint sicut ego et pater unum sumus.*

 Envelheci e embranqueci-me nos livros mais desconhecidos e mais terríveis do ocultismo; meus cabelos caíram, minha barba cresceu como a dos sacerdotes do deserto; procurei e encontrei a chave dos símbolos de Zoroastro; penetrei nas criptas de Manés, surpreendi o segredo de Hermes, esquecendo de roubar-me uma ponta do véu que esconde eternamente a grande obra; sei o que é a esfinge colossal que, lentamente, penetrou na areia, contemplando as pirâmides. Penetrei nos enigmas dos brâmanes. Sei que mistérios Shimeon ben Jochai enterrava consigo durante doze anos na areia; as clavículas perdidas de Salomão me apareceram resplandescentes de luz e li correntemente nos livros que o próprio Mefistófeles não sabia traduzir a Fausto. Pois bem, em nenhum lugar, nem na Pérsia, nem na Índia, nem entre os palimpsestos do antigo Egito, nem nos grimórios malditos subtraídos às fogueiras da Idade Média, encontrei um livro mais profundo, mais revelador, mais luminoso nos seus mistérios, mais espantoso nas suas revelações esplêndidas, mais certo nas suas profecias, mais profundo perscrutador dos abismos do homem e das trevas imensas de Deus, maior, mais verdadeiro, mais simples, mais terrível e mais doce que o Evangelho de Jesus Cristo.

 Que livro foi mais lido, mais adquirido, mais caluniado, mais desfigurado, mais glorificado, mais atormentado e mais ignorado que este? É como um mel na boca dos sábios e como um veneno violento nas entranhas do mundo: a revolução o realiza querendo combatê-lo; Proudhon se estorce para vomitá-lo; é invencível como a verdade é insequestrável como a mentira. Dizer que Deus é um homem, que blasfêmia, ó Israel! E vós, cristãos, que loucura! Dizer que o homem pode fazer-se Deus, que paradoxo abominável! À cruz o profanador do arcano, ao fogo os iniciadores, **Christianos ad Leonem!**

Os cristãos aniquilaram os leões e o mundo inteiro, conquistado pelo martírio das trevas do grande arcano, achou-se às apalpadelas como Édipo diante da solução do último problema: o do homem-Deus.

O homem-Deus é uma verdade, exclamou então uma voz, porém deve ser único na Terra como no céu. O homem-Deus, o infalível, o onipotente, é o papa; e embaixo dessa proclamação que foi escrita e repetida sob todas as formas, podemos ler nomes entre os quais figura Alexandre Borgia.

O homem-Deus é o homem livre, disse depois a reforma, cujo grito que quiseram abafar na boca dos protestantes terminou pelo rugido da revolução A palavra terrível do enigma tinha sido pronunciada, porém se tornava um enigma mais formidável ainda.

Que é a verdade? – tinha dito Pilatos, condenando Jesus Cristo. Que é a liberdade? – dizem os Pilatos modernos, lavando as mãos no sangue das nações

Perguntai aos revolucionários, desde Mirabeau até Garibaldi, o que é a liberdade e eles nunca chegarão a entender-se.

Para Robespierre e Marat, é uma machadinha adaptada a um nível; para Garibaldi, é uma camisa vermelha e um sabre.

Para os ideólogos, é a declaração dos direitos do homem; porém de que homem se trata, se o homem das galés é suprimido porque a sociedade o prende?

Tem direitos o homem simplesmente porque é homem ou somente quando é justo?

A liberdade para as profanas multidões é a afirmação absoluta do direito, o direito parecendo sempre trazer consigo o constrangimento e a servidão.

Se a liberdade é somente o direito de fazer o bem, ela se confunde com o dever e não se distingue mais da virtude.

Tudo o que o mundo viu e experimentou até agora não nos dá a solução do problema estabelecido pela magia e pelo Evangelho: o grande arcano do homem-Deus.

O homem-Deus não tem direitos nem deveres; tem a ciência, a vontade e o poder.

É mais que livre, é senhor; não manda, obriga a fazer; não obedece, porque ninguém lhe pode ordenar coisa alguma. O que outros chamavam de dever, ele denomina seu prazer; faz o bem porque o quer e não poderia querer outra coisa, coopera livremente com toda justiça e o sacrifício é para ele o luxo da vida moral e a magnificência do coração. É implacável para o mal, porque não tem ódio ao malvado. Considera como um benefício o castigo reparador e não compreende a vingança.

Tal é o homem que soube chegar ao ponto central do equilíbrio e podemos, sem blasfemar e sem fazer loucura, chamá-lo de homem-Deus, porque sua alma se identificou com o princípio eterno da verdade e da justiça.

A liberdade do homem perfeito é a própria lei divina; ela paira acima de todas as leis humanas e obrigações convencionais dos cultos. A lei é feita para o homem – dizia Jesus Cristo – e não o homem para a lei. O filho do homem é o senhor do sábado; isto é, a prescrição de observar o sábado, imposta por Moisés sob pena de morte, só obriga o homem enquanto isto lhe pode ser útil porque é, de modo definitivo, o soberano senhor. Tudo me é permitido – dizia São Paulo – porém tudo não é conveniente, o que quer dizer que temos o direito de fazer tudo o que não prejudica a nós nem aos outros e que a nossa liberdade só é limitada pelas advertências da nossa consciência e da nossa razão

O homem sábio nunca tem escrúpulos, age razoavelmente e só faz o que quer; é assim que, na sua esfera, pode tudo e é impecável. *Qui natus est ex Deo non peccat*, diz São Paulo, porque os seus erros, sendo involuntários, não lhe podem ser imputados

É para esta soberana independência que a alma deve adiantar-se através das dificuldades do progresso. É este verdadeiramente o grande arcano do ocultismo, porque é assim que se realiza a promessa misteriosa da serpente: sereis como deuses conhecendo o bem e o mal.

É assim que a serpente edênica se transfigura e se torna a serpente de bronze curadora de todas as feridas da humanidade O próprio Jesus Cristo foi comparado pelos padres da Igreja a essa serpente, porque, dizem eles, tomou a forma de pecado para mudar a abundância de iniquidade em superabundância de justiça.

Aqui falamos sem rodeios e mostramos a verdade sem véus e, contudo, não tememos que nos acusem com razão de sermos revelador temerário. Aqueles que não devem compreender estas páginas não a compreenderão, porque para os olhos muito fracos a verdade que mostramos faz um véu com a sua luz e se esconde no brilho do seu próprio esplendor.

Capítulo XVI

A AGONIA DE SALOMÃO

A fé é um poder da juventude e a dúvida é um sintoma de decrepitude. O jovem, que não crê em nada, se assemelha a um aborto que tivesse rugas e cabelos brancos.

Quando o espírito se enfraquece, quando o coração se apaga, duvida-se da verdade e do amor. Quando os olhos se perturbam, julga-se que o sol não brilha mais e chega-se até a duvidar da vida, porque sente-se de antemão a aproximação da morte.

Vede as crianças; que irradiação nos seus olhos, crença imensa na luz, na felicidade, nas infalibilidade de sua mãe, nos dogmas de sua ama! Que mitologia na suas invenções! Que alma atribuem aos brinquedos e bonecas! Que paraíso nos seus olhares! Ó, anjos bem-amados! Os espelhos de Deus na Terra são os olhos das criancinhas. O jovem crê no amor, é a idade do cântico dos cânticos; o homem maduro crê nas riquezas, nos triunfos e, às vezes, até na sabedoria. Salomão chegava à idade madura quando escreveu seu livro dos provérbios.

Depois, o homem cessa de ser amável e proclama a vaidade do amor, se extenua e não crê mais nos gozos que as riquezas dão; os erros e os abusos da glória o desgostam até dos triunfos. Seu entusiasmo se esgota, sua generosidade se gasta, torna-se egoísta e desconfiado; então duvida até da ciência e da sabedoria e Salomão escreve seu triste livro do Eclesiastes.

Que resta então do belo jovem que escrevia: "Minha bem-amada é única entre as belas, o amor é mais invencível que a morte e aquele que desse toda a sua fortuna e toda a sua vida por um pouco de amor ainda o teria comprado por nada"?... Oh, lede agora isto no Eclesiastes: "Encontrei um homem entre mil e, entre todas as mulheres, nenhuma. Considerei todos os erros dos homens e achei que a mulher é mais amarga que a morte. Seus encantos são os laços do caçador e seus fracos braços são cadeias." – Salomão, envelhecestes.

Este príncipe havia ultrapassado em magnificência todos os monarcas do Oriente, tendo construído o templo que era uma maravilha do mundo e que devia, conforme o sonho dos judeus, tornar-se o centro da civilização asiática Seus navios cruzavam-se com os de Hiram, rei de Tiro. As riquezas de todos os povos afluíam a Jerusalém. Passava pelo mais sábio dos homens e era o mais poderoso dos reis. Tinha-se iniciado na ciência dos santuários, resumindo-a, numa vasta enciclopédia; era aliado, por muitos casamentos, a todas as potências do Oriente. Julgou-se, então, senhor absoluto do mundo e pensou que era tempo de realizar a síntese de todos os cultos. Quis agrupar, ao redor do centro inacessível em que adoravam a abstrata unidade de Jeová, as encarnações brilhantes da divindade nos números e nas formas. Queria que a Judeia não fosse mais inacessível às artes e que fosse permitido ao cinzel do estatuário criar deuses.

O templo de Jeová era único como o sol e Salomão quis completar seu universo, dando a este sol uma corte de planetas e satélites; fez, portanto, construir templos nas montanhas que rodeavam Jerusalém. Deus manifestado nos fenômenos do tempo foi adorado sob o nome de Saturno ou de Moloch. Salomão conservou todo o simbolismo desta grande imagem e somente suprimiu os sacrifícios de crianças e as vítimas humanas; inaugurou ao redor do altar de Vênus ou de Astarté as festas da beleza, da juventude e do amor, este tríplice sorriso de Deus que anima e consola a Terra.

Se tivesse sido bem-sucedido, a glória e o poder de Jerusalém teriam feito abortar a de Roma e o Cristianismo não teria sua razão de ser. Salomão tornava-se o Messias prometido aos hebreus. Porém, o fanatismo rabínico alarmou-se. Os velhos sábios que rodeavam o filho de Betsabá foram suspeitos de apostasia. Os jovens escribas e a turba amotinada dos levitas chegaram a embair a juventude de Roboão, filho de Salomão, e o velho rei compreendeu, um dia, com espanto, que o seu herdeiro não continuaria a sua obra. A dúvida entrou então no seu coração e, com a dúvida, um profundo desespero. Foi então que escreveu: "Fiz trabalhos imensos e vou deixar tudo a um herdeiro que será talvez um insensato. Tudo é vaidade debaixo do sol e tudo parece girar num círculo fatal; o justo neste mundo não é mais feliz que o ímpio e é uma vaidade entregar-se ao estudo, porque aumentando a sua ciência, aumentam-se os desgostos. O homem morre como o animal e ninguém sabe se o espírito dos homens atinge ao alto ou se o dos animais rola para baixo. O homem muito sábio cai em estupor e ninguém sabe se é digno de amor ou de ódio. Vivamos, pois, no presente e esperemos que Deus nos julgue." "Infeliz" – diz ele ainda, pensando amargamente em seu filho – "infeliz da nação cujo príncipe é apenas uma criança." Estas tristezas infinitas de uma grande alma isolada no cimo do poder e que sente faltarem-lhe, ao mesmo tempo, a terra e as asas, lembram as lamentações de Jó e o brado de Jesus no Calvário: **Eli, Eli, Lamma Sabachtani.**

Em lugar de ter criado a unidade do mundo com Jerusalém como centro, Salomão percebia que o seu próprio reino ia despedaçar-se violentamente. O povo agitava-se e queria reformas que, talvez, desde há muito lhe tinham prometido; o templo estava terminado e os impostos excepcionais, que tinham por objeto ou pretexto a construção do templo, não tinham sido diminuídos.

Um agitador chamado Jeroboão formava um partido nas províncias. Roboão, feito instrumento cego dos pretensos conservadores, lançava ao fogo, quase publicamente, os livros filosóficos de seu pai, os quais não foram mais encontrados depois da morte de Salomão, e o velho senhor dos espíritos, abandonado por todos os que amava, assemelhava-se a este rei Thule da balada alemã, que chora em silêncio no seu copo e bebe um vinho misturado de lágrimas. É então que amaldiçoa a alegria, dizendo: "Por que me enganaste?" É então que escreve: "É melhor ir á casa das lágrimas que à casa do riso". – Mas por quê? Não o diz. Mais tarde, uma sabedoria maior que a sua, vinda para enxugar todas as lágrimas, devia exclamar: "Felizes dos que choram, porque rirão um dia." Assim é o riso e a felicidade que Jesus veio prometer aos homens. São Paulo, seu apóstolo, escrevia aos seus discípulos: "Estai sempre em alegria." **Semper gaudite**.

O sábio chora quando é feliz e sorri com bravura quando sofre. Os antigos padres da Igreja combatiam um oitavo pecado mortal e chamavam-no a tristeza.

Salomão conhecia, dizem, a virtude secreta das pedras e as propriedades das plantas, porém há um segredo que ignorava, pois que escreveu o Eclesiastes, um segredo de felicidade e de vida, um segredo que repele o aborrecimento, eternizando a felicidade e a esperança:

O segredo de não envelhecer!

Existe um segredo semelhante? Existem homens que jamais envelhecem? É uma realidade o elixir de Flamel? E devemos crer, como dizem os amigos muito apaixonados de maravilhas, que o célebre alquimista da Rua dos Escritores iludiu a morte e que, sob outro nome, vive ainda com sua mulher Pernelle numa rica solidão do novo mundo?

Não, não acreditamos na imortalidade do homem na Terra. Porém, acreditamos e sabemos que o homem pode preservar-se de envelhecer.

Pode-se morrer quando se viveu um século ou quase um século; é então tempo de a alma abandonar sua roupa que não está mais em moda; é tempo, não de morrer, porque já o dissemos, não acreditamos na morte, mas de aspirar a um segundo nascimento e de começar vida nova.

Porém, até o último suspiro, pode-se conservar as alegrias ingênuas da infância, os êxtases poéticos do jovem, os entusiasmos da idade madura. Pode-se até o fim embriagar-se de flores, beleza e sorrisos; pode-se recordar incessantemente o que passou e encontrar sempre o que se perdeu. Pode-se encontrar uma eternidade real no belo sonho da vida. Que é preciso fazer para isso? – ides certamente perguntar-me. Lede atentamente e meditai seriamente o que vou dizer-vos:

É preciso esquecer a si mesmo e viver unicamente para os outros.

Quando Jesus disse: "Se alguém quer vir comigo, que renuncie a si mesmo, tome a sua cruz e siga-me", não pretendeu que seus seguidores fossem enterrar-se numa solidão, ele, que sempre viveu entre os homens, abraçando e abençoando as criancinhas, relevando as mulheres decaídas, de quem não desprezava nem as carícias nem as lágrimas, comendo e bebendo com os párias do farisaísmo, dando até ocasião de dizerem dele: "Este homem é um glutão e um bebedor de vinho"; amando ternamente São João e a família de Lázaro, suportando São Pedro, curando os doentes e alimentando as multidões, cujos recursos multiplicava pelos milagres da caridade. Em que esta vida se assemelha à de um trapista ou de um estilita e como o autor de um tratado célebre que preconiza o isolamento e a concentração em si mesmo, ousou chamar um tal tratado a imitação de Jesus Cristo? Viver nos outros, com os outros e pelos outros, eis o segredo da caridade e é o da vida eterna. É também o da eterna juventude. Se não vos tornardes semelhantes às crianças, dizia o mestre, não entrareis no reino dos céus.

Amar é viver naqueles que a gente ama, é pensar seus pensamentos, adivinhar seus desejos, partilhar suas afeições; quanto mais a gente ama, mais aumenta a própria vida. O homem que ama não está mais só e sua existência se multiplica, chama-se família, pátria, humanidade. Balbucia e brinca com as crianças, apaixona-se com a mocidade, raciocina com a idade madura e estende a mão à velhice.

Salomão não mais amava quando escreveu o Eclesiastes e tinha caído na cegueira de espírito pela decrepitude do coração. Este livro é a agonia de um espírito sublime que vai apagar-se por falta de ser alimentado pelo amor. É triste como o gênio solitário de Chateaubriand, como as poesias do décimo nono século. E, contudo, o décimo nono século produziu Victor Hugo, que é a prova viva das coisas que acabo de afirmar. Esse homem, egoísta a princípio, foi velho na sua juventude; depois, quando seus cabelos se encaneceram, compreendeu o amor e tornou-se jovem. Como adora as crianças! Como respira todas as seivas e todas as divinas loucuras da Juventude! Que grande panteísmo de amor nas suas últimas poesias! Como compreende o riso e as lágrimas! Tem a fé universal de Goethe e a imensidade filosófica de Spinoza. É Rabelais e é Shakespeare. Victor Hugo, sois um grande mago, sem o saber, e encontrastes, melhor que o pobre Salomão, o arcano da vida eterna!

Capítulo XVII

O MAGNETISMO DO BEM

Dizem e repetem, todos os dias, que as pessoas de bem são infelizes neste mundo, ao passo que os maus prosperam e são felizes. É uma estúpida e abominável mentira. Essa mentira vem do erro vulgar que confunde a riqueza com a felicidade; como se pudéssemos dizer sem loucura que Tibério, Calígula, Nero e Vitéllio foram felizes. Contudo, eram ricos e além disso eram senhores do mundo e, não obstante, seus corações estavam sem descanso, suas noites sem sono e sua consciência era chicoteada pelas fúrias

Acaso um porco se tornaria um homem se lhes servissem trufas num balde de ouro?

A felicidade está em nós e não nos nossos pratos e Malfilatre, morrendo de fome, teria merecido seu destino, se então tivesse lastimado de não ser um porco para engordar

Qual dos dois é mais feliz: Sócrates ou Trimalcyon? (Este personagem de Petrúvio é a caricatura de Cláudio). Trimalcyon teria morrido de indigestão se não o tivessem envenenado.

Não discordo que há pessoas de bem que sofrem a pobreza e até a miséria; porém, geralmente, é pela sua falta e, muitas vezes, é a pobreza que conserva a honestidade delas. A riqueza talvez as corrompesse e perdesse. Não devemos considerar como verdadeiros homens de bem aqueles que pertencem a multidão dos tolos, de medíocre coragem e vontade débil, aqueles que obedecem às leis por temor ou fraqueza, os devotos que têm medo do diabo e os pobres diabos que têm medo de Deus. Todas essas pessoas são os animais da tolice e não sabem aproveitar nem do ouro, nem da riqueza, nem da miséria, porém poderemos lastimar seriamente o sábio, o verdadeiro sábio e quando se lhe faz mal não é sempre por inveja? Porém, vários leitores meus vão dizer-me com desaponto: "Prometeis-nos magia e tratais aqui de moral. Temos bastante filosofia, falai-nos agora das forças ocultas." – Seja, vós que lestes os meus livros sabeis o que significam as duas serpentes do caduceu: são as duas correntes contrárias do magnetismo universal. A serpente de luz criadora e conservadora e a serpente de fogo eterno que devora para regenerar.

Os bons são imantados, vivificados e conservados pela luz imperecível; os maus são queimados pelo fogo eterno.

Há comunhão magnética e simpática entre os filhos da luz, todos banham na mesma fonte de vida; são todos felizes pela felicidade uns dos outros.

O magnetismo positivo é uma força que reúne e o magnetismo negativo é uma força que dispersa.

A luz atrai a vida e o fogo traz consigo a destruição.

O magnetismo branco é a simpatia e o magnetismo negro é a aversão.

Os bons amam-se uns aos outros e os maus se odeiam uns aos outros, porque se conhecem.

O magnetismo dos bons atrai para eles tudo o que é bom e quando não lhes atrai as riquezas é porque elas lhes seriam más.

Não abraçavam os heróis da antiga filosofia e do Cristianismo primitivo a santa pobreza como uma severa guarda do trabalho e da temperança?

Aliás, não são pobres as pessoas de bem? Não têm sempre elas coisas magníficas a dar? Ser rico é dar: dar é amontoar e a fortuna se forma unicamente do que damos.

Existe realmente e em verdade uma atmosfera do bem como uma atmosfera do mal. Numa, respiramos a vida eterna e, na outra, a morte eterna.

O círculo simbólico que forma a boa serpente que morde a própria cauda, o pleroma dos gnósticos, o nimbo dos santos da lenda áurea, é o magnetismo do bem.

Toda cabeça santa irradia e as irradiações dos santos se entrelaçam umas com as outras para formar cadeias de amor.

Aos raios de graça se prendem os raios de glória; as certezas do céu fecundam os bons desejos da Terra. Os justos que morreram não nos deixaram, vivem em nós por nós, inspiram seus pensamentos e se regozijam com os nossos. Vivemos no céu com eles e eles lutam conosco na Terra, porque dissemos e o repetimos solenemente ainda, o céu simbólico, o céu que as religiões prometem ao justo não é um bem, é um estado das almas, o céu é a generosa harmonia eterna, o irremediável inferno é o conflito inevitável dos instintos vis.

Maomé, seguindo os hábitos do estilo oriental, apresentava aos seus discípulos uma alegoria que tomaram por um conto absurdo, como o faz Voltaire com as parábolas da Bíblia.

Existe, dizia ele, uma árvore chamada Tuba, tão vasta e tão copada que um cavalo, solto a galope e partindo do pé desta árvore, galoparia durante cem anos antes de sair da sua sombra. O tronco desta árvore é de ouro, seus ramos trazem por folhas talismãs feitos de pedras maravilhosas que deixam cair, desde que nelas se toca, tudo o que os verdadeiros crentes podem desejar: ora deliciosos manjares, ora vestuários esplêndidos. Essa árvore é invisível para os ímpios, porém introduz um dos ramos na casa de todos os justos e cada ramo tem a propriedade da árvore inteira. Essa árvore alegórica é o magnetismo do bem. É o que os cristãos chamam a graça. É o que o simbolismo do Gênesis designa sob o nome de árvore da vida. Maomé tinha adivinhado os segredos da ciência e fala como um iniciado, quando conta as belezas e maravilhas da árvore de ouro, da gigantesca árvore Tuba.

Não é bom que o homem esteja só, disse a sabedoria eterna, e esta palavra é a expressão de uma lei. Nunca o homem está só, quer no bem quer no mal. Sua existência e suas sensações são, ao mesmo tempo, individuais e coletivas.

Tudo o que os homens de gênio encontram ou atraem de luz irradia para a humanidade inteira. Tudo o que os justos fazem de bem, aproveita ao mesmo tempo a todos os justos e merece graças de arrependimento dos maus. O coração da humanidade tem fibras em todos os corações.

Tudo o que é verdade é belo. Só há de vão sob o sol o erro e a mentira. A própria dor e a morte são belas, porque são o trabalho que purifica e a transfiguração que liberta. As formas passageiras são verdadeiras, porque são manifestações da força e da beleza eterna. O amor é verdadeiro, a mulher é santa e sua concepção é imaculada. A verdadeira ciência nunca engana, a fé razoável não é uma ilusão. O riso da alegria simpática é um ato de fé, esperança e caridade. Temer a Deus é desconhecê-lo; só devemos temer o erro. O homem pode tudo o que quer quando só quer a justiça. Pode até, se o quiser, precipitar-se na injustiça, porém nela se destruirá. Deus se revela ao homem no homem e pelo homem. Seu verdadeiro culto é a caridade. Os dogmas e ritos mudam e o seu poder é eterno. Há apenas um único e verdadeiro poder na Terra como no céu: é o do bem. Os justos são os únicos senhores do mundo. O mundo tem convulsões quando eles sofrem e se transforma quando morrem A opressão da justiça é uma compressão de uma força muito mais terrível que a das matérias fulminantes. Não são os povos que fazem as revoluções, são os reis. A pessoa justa é inviolável; infeliz de quem a toca! Os Césares ficaram em cinzas, queimados pelo sangue dos mártires O que um justo quer Deus aprova. O que um justo escreve Deus assina e é um testamento eterno.

A chave do enigma da Esfinge é Deus no homem e na natureza. Aqueles que separam o homem de Deus separam-no da natureza, porque a natureza é cheia de Deus e repele com horror o ateísmo. Aqueles que separam o homem da natureza são como filhos, que, para honrar seu pai, cortam-lhe a cabeça. Deus é, por assim dizer, a cabeça da natureza; sem ele, ela não existiria; sem ela, ele não se manifestaria.

Deus é nosso pai, porém a natureza é nossa mãe. Honra teu pai e tua mãe, diz o decálogo, a fim de que vivas longamente na Terra. **Emmanuel**, Deus está conosco, tal é a palavra sagrada dos iniciados conhecidos somente sob o nome de Irmãos da Rosa-Cruz. É nesse sentido que Jesus Cristo pôde, sem blasfemar, chamar-se filho de Deus e o próprio Deus. É nesse sentido que quer que não façamos mais que um com ele, como ele não faz mais que um com seu pai e que assim a humanidade regenerada realize neste mundo o grande arcano do homem-Deus.

Amemos a Deus uns nos outros, porque Deus jamais se mostrará por outra forma a nós. Tudo o que é amável em nós é Deus que está em nós e só podemos amar a Deus e é sempre Deus que amamos, quando sabemos amar verdadeiramente. Deus é luz e não gosta das trevas. Se, pois, quisermos sentir Deus em nós, esclareçamos as nossas almas. A árvore da ciência não é uma árvore de morte senão para Satã e seus apóstolos; é o mancenilheiro* das **superstições,** porém para nós é a **árvore da vida.**

Estendamos as mãos e tomemos os frutos dessa árvore: eles nos curarão das apreensões da morte.

Então não diremos mais como estúpidos escravos: – Isto é um bem porque no-lo ordenam, prometendo-nos uma recompensa, e isto é um mal porque no-lo proíbem, ameaçando-nos com suplícios.

Diremos, porém: – Façamos isto porque sabemos que é um bem, e não façamos isto porque sabemos que é um mal.

E assim será realizada a promessa da serpente simbólica:

Sereis como deuses, conhecendo o bem e o mal.

FIM DA SEGUNDA PARTE

---

* Relativo a Mancenilheira, conhecida como "árvore da morte", pois é considerada por botânicos de todo o mundo como uma das plantas mais perigosas do mundo. Seus frutos e sua seiva podem causar cegueira, queimaduras graves problemas respiratórios e até mesmo a morte. (N.do E.)

Apêndice

A DOUTRINA DE ÉLIPHAS LÉVI

A seguir, apresentamos um resumo sucinto da doutrina do mestre, citando trechos esparsos de todas as suas obras, que revelam magistralmente o seu pensamento:

Deus

No seu maravilhoso *Credo Filosófico*, Éliphas assim se exprime:

Creio no **Desconhecido** que Deus **PERSONIFICA**,

Provado pelo próprio Ente e pela Imensidade,

Ideal SOBRE-HUMANO da filosofia;

Perfeita inteligência e suprema bondade.

Isto quer dizer que só o êxtase e o iluminismo permitem alcançar este ideal **sobre-humano**.

As citações seguintes esclarecem mais as ideias do mestre:

Os cabalistas consideram Deus como o infinito inteligente, amante e vivente. Não é para eles, nem a coleção dos entes, nem a abstração do Ente, nem um ente filosoficamente definível. Está em tudo, é distinto de tudo e maior que tudo. Seu próprio nome é inefável e este nome ainda exprime apenas o ideal humano da sua divindade. O que Deus é por si mesmo não é dado ao homem compreender.

DEUS é o absoluto da fé; porém o absoluto da razão é o ENTE.

O Ente existe por si mesmo e porque existe. A razão de ser do Ente é o próprio Ente.

É a esta realidade filosófica e incontestável que chamamos a ideia de Deus, a que os cabalistas dão um nome; neste nome, estão contidos todos os outros. Os algarismos desse nome produzem todos os números; os hieróglifos das letras desse nome exprimem todas as leis e todas as coisas da natureza.

Pitágoras definia Deus: uma verdade vivente e absoluta, revestida de luz.

Deus é a alma da luz.

A luz universal e infinita é para nós o corpo de Deus.

***

Os povos formam ídolos e os destroem, o inferno se povoa de deuses decaídos até que a palavra do grande iniciador se faça ouvir: Deus é espírito e devemos adorá-lo em espírito e verdade!

Constituição do homem

Eis o que escreve sobre este ponto o venerável mestre:

O homem é um ente inteligente e corpóreo, feito à imagem de Deus e do Mundo, uno em essência, tríplice em substância, imortal e mortal.

Há nele uma alma espiritual, um corpo material e um mediador plástico. O homem é a sombra de Deus no corpo animal.

A Trindade faz o homem à sua imagem e semelhança. O corpo humano é duplo e sua unidade ternária se compõe da união das duas metades; a alma humana também é dupla, é *animus* e *anima*, é espírito e ternura. Ela tem dois sexos. O sexo paterno reside na cabeça, o sexo materno no coração. A realização da redenção deve, pois, ser dupla na humanidade; é preciso que o espírito, pela sua pureza, resgate os desvarios do coração; depois é preciso que o coração, pela sua generosidade, resgate as securas egoístas da cabeça.

O MEDIADOR PLÁSTICO

O que podemos dizer da alma inteira, devemos dizer de cada faculdade da alma.

A inteligência e a vontade do homem são instrumentos de um alcance e força incalculáveis.

Porém, a inteligência e a vontade têm como auxiliares e como instrumentos uma faculdade muito pouco conhecida e cuja onipotência pertence exclusivamente ao domínio da magia. Quero falar da imaginação que os cabalistas chamam o diáfano ou o translúcido.

A imaginação é, de fato, como que os olhos da alma.

A substância do mediador plástico é luz em parte volátil e em parte fixa.

Parte volátil – fluido magnético.

Parte fixa – corpo fluídico ou aromal.

O mediador plástico é formado de luz astral ou terrestre e transmite ao corpo humano a dupla imantação.

Portanto, agindo sobre esta luz, pela sua volição, pode dissolvê-la ou coagulá-la, projetá-la ou atraí-la. Ela é o espelho da imaginação e dos sonhos. Rege o sistema nervoso e assim produz os movimentos do corpo.

Essa luz pode dilatar-se indefinidamente e comunicar sua imagem a considerável distância, imanta os corpos submetidos à ação do homem e pode, contraindo-se, atraí-los para ele. Pode tomar todas as formas evocadas pelo pensamento e nas coagulações passageiras da sua parte irradiante aparecer à vista e até oferecer uma espécie de resistência ao contato.

Porém, essas manifestações e esses empregos do mediador plástico sendo anormais, o instrumento luminoso de precisão não as pode produzir sem ser falsificado, e causam necessariamente quer a alucinação habitual, quer a loucura.

O magnetismo animal é a ação de um mediador plástico sobre um outro para dissolvê-lo ou coagulá-lo. Aumentando a elasticidade da luz vital e sua força de fixação, a pessoa a envia tão longe como o quer e a retira carregada de imagens; porém é preciso que esse operação seja favorecida pelo sono do paciente, o que se produz coagulando mais a parte fixa do mediador.

É nela que se gravam e se conservam as formas; é por ela que vemos os reflexos do mundo invisível; ela é o espelho das visões e o aparelho da vida mágica; é por ela que curamos as doenças, que influenciamos sobre a razão, que afastamos dos vivos a morte e que ressuscitamos os mortos, porque é ela que exalta a vontade e que lhe dá domínio sobre o agente universal.

A imaginação determina a forma da criança no seio da mãe e fixa os destinos dos homens, dá asas ao contágio e dirige as armas da guerra.

A imaginação é o instrumento da adaptação do Verbo.

A imaginação aplicada à razão é o gênio.

CRIAÇÃO DOS ENTES PELA LUZ

A luz é o agente eficiente das formas e da vida, porque é, ao mesmo tempo, movimento e calor. Quando chega a fixar-se e a polarizar-se ao redor de um centro, produz um ente vivo; depois, para aperfeiçoá-lo e conservá-lo, atrai toda substância plástica necessária. Tal substância plástica, formada em última análise de terra e água, foi, com razão chamada barro na Bíblia.

Porém, a luz não é o espírito, como o creem os hierofantes indianos e todas as escolas de Goecia; é somente o instrumento do espírito. Não é o corpo do **Protoplastes**, como o entendiam os teurgistas da Escola de Alexandria; é a primeira manifestação física do sopro divino. Deus a criou eternamente e o homem, à imagem de Deus, a modifica e parece multiplicá-la.

OS FANTASMAS FLUÍDICOS E SEUS MISTÉRIOS

Os antigos lhes davam diferentes nomes. Eram larvas, lêmures, "empusas". Gostavam do vapor do sangue espalhado e fugiam da lâmina da espada. A teurgia os evoca e a Cabala os conhecia sob o nome de espíritos elementares.

Não eram, contudo, espíritos, pois eram mortais.

Eram coagulações fluídicas que podiam ser destruídas, dividindo-as. Eram espécies de miragens animadas, emanações imperfeitas da vida humana; as tradições da magia atribuem seu nascimento ao celibato de Adão. Paracelso diz que os vapores do sangue das mulheres histéricas povoam o ar de fantasmas; e essas ideias são tão antigas que encontramos traços delas em Hesíodo, que proíbe expressamente fazer secar ao fogo panos manchados por qualquer poluição.

As pessoas possessas de fantasmas são, de ordinário, exaltadas por um celibato muito rigoroso ou enfraquecidas por excessos de depravação.

Os fantasmas fluídicos são abortos de luz vital; são mediadores plásticos sem corpo e sem espírito, nascidos dos excessos do espírito e desregramentos do corpo.

Esses mediadores errantes podem ser atraídos por certos doentes que lhes são fatalmente simpáticos e que lhes dão, à sua custa, uma existência fictícia mais ou menos durável. Servem, então, de instrumentos suplementares às vontades instintivas desses doentes; contudo, nunca para curá-los, sempre para desviá-los e aluciná-los mais.

A RELIGIÃO

Os cultos mudam e a religião é sempre a mesma; os dogmas se devoram e se absorvem uns aos outros, como fazem os animais que vivem na Terra, e o mundo dogmático não é mais o domínio do erro como o mundo terrestre não é o império da morte. A morte aparente alimenta a vida real, e as controvérsias religiosas devem terminar, cedo ou tarde, numa grande catolicidade. Então, a humanidade saberá porque sofreu, e a vida eterna, desarmando o anjo da morte, revelará às nações o mistério da dor.

Terminando, insistamos nesta observação que, sem temor, damos à admiração "dos que sabem":

Deus opera no céu pelos anjos e na Terra pelos homens.

O AMOR E A MAGIA

O Amor, eis o grande segredo da Magia; porém é preciso saber distinguir o amor que imortaliza do que mata.

Enquanto o amor é apenas um desejo e um gozo, é mortal. Para eternizar-se, é preciso que se torne um sacrifício, porque então se torna uma força e uma virtude. É a luta de Eros e de Anteros que faz o equilíbrio do mundo.

Eis aí porque o ódio é gerador de lágrimas e, por conseguinte, de remorsos.

Os nossos inimigos são fortes pelo nosso ódio. O único meio de torná-los impotentes em prejudicar-nos é amá-los.

O maior dos inimigos é o mais forte de todos os amores, porque é o mais desinteressado e, por conseguinte, o mais calmo.

Ideias sociais

O homem que é senhor de si mesmo não tem mais senhores, e, se existisse no mundo um povo de sábios, seria um povo de reis. Somente então seria possível a República, porque tal povo não teria necessidade de ser governado. Porém, quando vejo uma população embrutecida pela embriaguez, uma burguesia despreocupada de tudo o que não é lucro e negócio, uma imprensa apaixonada por interesse e, muitas vezes, mentirosa por cálculo, uma aristocracia, enfim, que se bate por causa de Rigolboches, pergunto a mim mesmo o que poderia ser a República destas pessoas, e se se queixam dos rigores do poder, supondo que pedem a liberdade de fazer ainda mais mal do que fazem. É uma bela coisa a declaração dos direitos do homem, porém começai por criar homens antes de dar-lhes direitos. Não creio que tomareis por homens a multidão imunda que arrastava Bailly ao cadafalso, esbofeteando-o com uma bandeira molhada no barro.

Se me perguntardes a que tinham direito tais homens, eu vos responderei que tinham direito à metralhadora de 13 vendemiário e a encontraram... fatalmente.

Impresso por :

gráfica e editora
Tel.:11 2769-9056